Ruth Rendell
Helen Simpson

Heures fatales

L'Arbousier
et
Chair et Herbe

Nouvelles traduites de l'anglais
par Martine Leroy-Battistelli et Yves Sarda

Titre original :
Unguarded Hours
Pandora Press Grafton Books
Harper Collins Publishers
London, 1990
Cette édition de *Heures fatales*
est publiée par les Éditions de la Seine
avec l'aimable autorisation des Éditions Denoël

L'ARBOUSIER

de

Ruth Rendell

1

L'hôtel où nous sommes a été construit par mon père. Il paraît que c'est le meilleur de Llosar ; c'est, en tout cas, le plus grand et le plus laid. De loin, il donne l'impression d'être fabriqué avec des cartes blanches ou bien avec une multitude d'enveloppes au rabat ouvert. L'intérieur, au luxe traditionnel, est tapissé de miroirs couleur bronze et pavé de dalles de marbre cuivré. Dans le hall, un régiment d'hibiscus plantés dans des vasques en pierre d'aspect vaguement romain alignent leurs fleurs en trompettes, écarlates comme des tuniques de soldats.

Il y a une piscine, une salle de gymnastique magnifiquement équipée, trois restaurants et deux bars. Une machine pour cirer les chaussures et une autre qui fait de la glace. Dans le temps, on voyait les jeunes gens boire du *palo* dans de minces et longues carafes au bec incurvé. Aujourd'hui, le barman de l'hôtel prépare des *Mañanas*, cocktails réputés, dit-on. Nous y avons goûté hier, sur la terrasse de derrière. De là, à condition de ne pas fixer bêtement la piscine, comme le font la plupart des clients, on peut reposer son regard, à tous les sens du terme, en contemplant le jardin. L'arbousier qu'on y a planté a prospéré ; ses fleurs blanches s'épanouissent au moment même où les fruits arrivent à maturité, phénomène dont j'avais entendu parler mais que je n'avais encore jamais constaté par moi-même. En effet, nous sommes en octobre et, la dernière fois que je suis venue ici, il y a bien des années, c'était l'été.

Nos chambres ont une véranda qui donne sur la mer. Il n'y a plus de bateaux de pêche ; la jetée de l'ancien hôtel, avec sa treille, a disparu, et le vieux bâtiment a été transformé en casino. Mais le port, gardé par la statue de la Vierge, *Nuestra Doña de los Marineros*, existe toujours ; c'est là que Will était assis, sur le robuste parapet de pierre, le jour où Piers, Rosario et moi avons fait sa connaissance.

Sur le « front de mer », ainsi qu'on l'appelle probablement, à l'endroit où se tenait jadis une rangée de petites maisons, s'élèvent aujourd'hui des hôtels, des restaurants, des boutiques de souvenirs, des agences de voyages, des cafés et des buvettes. L'église au toit de tuile peu incliné, dont le campanile bistre dominait la baie, disparaît presque parmi les nouvelles constructions et semble minuscule à côté du gigantesque hôtel Thomson Holiday. J'ai demandé à la femme de chambre s'il y avait eu des méduses, ces derniers temps, mais elle s'est contentée de secouer la tête en marmonnant quelque chose à propos de la *contaminación*.

La maison que nous avaient prêtée José Carlos et Micaela existe toujours, mais on l'a beaucoup « améliorée », agrandie, repeinte en sucre rose et enceinte d'une grille en fer forgé incroyablement travaillé, véritable dentelle de métal digne de décorer un gâteau d'anniversaire pour fils de géant. Je serais étonnée que Rosario la reconnaisse. Dans l'arrière-pays, à première vue, presque rien n'a changé. Pour le moment, je ne m'y suis pas encore aventurée, bien que nous ayons loué une bonne voiture. Je suis montée sur les hauteurs du village pour regarder les collines jaunes, les oliviers, les genévriers et les grandes routes droites qui, maintenant, quadrillent tout, mais je n'ai pas vu la petite maison hantée, la *Casita de Golondro*. D'ailleurs, elle n'a jamais été visible de là. Un repli des collines, couronné de pins et de caroubiers, la dissimule. Ce matin, le directeur de l'hôtel m'a appris qu'elle avait été transformée en *parador*, le premier qu'on ait ouvert à Majorque.

Quand j'en aurai terminé avec l'affaire qui m'a amenée ici, j'irai y jeter un coup d'œil. Ces hôtels gérés par l'Etat, nombreux sur le continent, ont la réputation d'être très confortables. On pourra même monter y dîner un soir. Je le leur proposerai. Mais pas question d'aller nous y installer. Sinon, je ne pourrais m'empêcher, tôt ou tard, soit de me lancer à la recherche de cette chambre fatidique, soit de l'éviter systématiquement. A la vérité, je n'ai plus envie de trouver une explication. J'aspire à la paix, mon seul désir est d'être heureuse, et tant pis si c'est ridicule.

Demain matin à dix heures, j'ai rendez-vous avec un officier de la Guardia civil dont le grade doit correspondre à celui de commissaire de police. Il me montrera ce qu'il y a à voir, j'examinerai consciencieusement le tout, je rassemblerai du mieux possible mes souvenirs et lui rendrai ma réponse. Je ne sais pas encore si je leur permettrai de m'accompagner et, d'ailleurs, est-ce qu'ils le souhaitent ? Sans doute vaudra-t-il mieux que je règle la question toute seule, comme je l'ai presque toujours fait jusqu'ici.

2

Voici près de quarante ans que Piers, nos parents et moi sommes venus séjourner dans la maison qu'un cousin espagnol nous avait prêtée, à la suite d'une maladie de ma mère. Elle sortait d'une dépression qui l'avait plongée dans un état d'abattement et de léthargie général, provoqué par une fausse couche. Déjà à cette époque, avant même qu'il y en eût un réel besoin, mes parents désiraient avoir d'autres enfants ; ils avaient fait plusieurs tentatives après ma naissance, treize ans plus tôt, mais je l'ignorais. On aurait dit qu'un triste pressentiment les avait avertis qu'ils n'auraient pas toujours auprès d'eux leur couple d'oisillons.

Je me souviens de la lettre que José Carlos avait envoyée à mon père. D'avoir combattu ensemble pendant la guerre civile les avait beaucoup rapprochés et ils entretenaient une correspondance épisodique, mais en réalité José Carlos était le cousin de ma mère et non celui de mon père. Il était le fils d'une tante de maman qui avait épousé un Espagnol de Santander. Nous savions par conséquent où se trouvait Santander, mais le nom de Majorque nous était pratiquement inconnu. En tout cas, il nous fallut le chercher sur la carte. A l'exception de Piers, toutefois. Piers savait, Piers aurait pu nous dire que c'était la plus grande des îles Baléares, qu'elle était située à l'ouest de la Méditerranée, et même, sans doute, qu'elle occupait une superficie de plus de mille quatre cents kilomètres carrés. Mais l'une des qualités de ce frère brillant et comblé par la bonne fortune, c'était sa modestie. N'ayant pas pour habitude d'étaler son savoir, il s'était, lui aussi, penché sur l'épaule de papa, pour examiner l'atlas Goodall and Darby, dans une édition d'avant-guerre qui donnait la part belle à l'Empire britannique et dans lequel la Méditerranée n'était qu'une modeste mer intérieure. Comme nous, il avait cherché en silence.

Les îles Baléares, minuscules, flottaient en vert et or sur un fond bleu pâle, dans le creux délimité par Barcelone et Valence. Majorque (entre parenthèses, Mallorca) faisait penser à une planète entourée de ses satellites : Formentera, Cabrera, Minorque et Ibiza. Aujourd'hui, on a du mal à imaginer qu'il soit possible d'ignorer le nom d'Ibiza ou de ne pas savoir comment il se prononce ; quant à Minorque, ce n'était pour moi qu'une race de poules.

La villa de José Carlos se trouvait dans la localité de Llosar. Il en faisait une description peu flatteuse, passant vite sur ses attraits et insistant sur son inconfort et sa rusticité. Située sur la côte nord-ouest, elle donnait sur la mer, tout près du village, si on pouvait parler de village, étant donné qu'il n'y avait qu'un hôtel et quelques boutiques. José Carlos parlait anglais à la perfection, avait dit mon père, aussi maman et lui feraient bien de repasser leur espagnol.

La maison était à nous pour les mois de juillet et d'août, c'est-à-dire pendant les vacances scolaires. Ce serait le repos absolu, les seules activités consistant à se baigner, se dorer au soleil, manger du poisson et aller boire un verre à la taverne, si l'envie nous en prenait. Au sud-est de l'île, il y avait des grottes de calcaire et des lacs souterrains qui méritaient une visite, à condition de faire confiance aux voitures de location. On commençait à voir quelques touristes, mais leur nombre était forcément limité, vu qu'il n'y avait qu'un seul hôtel.

Llosar était situé sur un cap, au nord de l'île. Sur la carte, Palma, la capitale, donnait l'impression d'être une grande ville, jusqu'au moment où l'on s'apercevait que son nom figurait en caractères identiques à ceux d'Alicante, sur le continent. Piers et moi n'étions jamais allés à l'étranger. Nous étions des enfants de la guerre, nés avant qu'elle commence et prisonniers dans notre île assiégée. Maintenant qu'elle était terminée, nous ne pouvions qu'attendre patiemment une occasion de ce genre, peu coûteuse et ne nécessitant pas de longs préparatifs.

Je me faisais une fête de ces vacances. Moi qui avais une santé de fer, je redoutais soudain d'être terrassée par une maladie quelconque, à la fin du trimestre scolaire. Ce n'était pas impossible. En cette époque d'avant la vaccination obligatoire, tout le monde attrapait tôt au tard la rougeole. Je ne l'avais pas eue. L'année précédente, Piers avait été opéré, mais, pour ma part, je n'avais subi d'autre intervention que l'ablation des amygdales. N'importe quoi pouvait arriver. Je me sentais vulnérable, je vivais dans la terreur quotidienne d'un mal de ventre inexplicable, d'une éruption de boutons, d'une toux inopinée. J'avais même commencé à prendre ma température, tous les matins, au réveil, ce que ma pauvre mère faisait également, mais pour d'autres raisons. Ils partiraient sans moi. Pourquoi pas ? Ce ne serait pas juste d'obliger quatre personnes à rester à la maison à cause d'une seule. En sortant de l'hôpital, on m'enverrait chez ma tante Sheila.

En réalité, les choses se passèrent tout autrement. Loin de se trouver amputée d'un membre, la famille s'augmenta d'une unité. Dans sa seconde lettre, José Carlos adoptait un ton encore plus contrit, à juste raison cette fois, du moins d'après moi. Il avait quelque chose à nous demander. Bien entendu, si nous jugions sa requête inacceptable, nous n'aurions qu'à refuser. Rosario avait très envie de venir à Llosar en même temps que nous. Rosario adorait cette maison qui, depuis toujours, servait de cadre à ses vacances d'été.

« Qui c'est, ce Rosario ? demandai-je.

— Ce Rosario est une fille, dit ma mère. La fille de José Carlos. Elle doit avoir dans les quinze ou seize ans.

— C'est un nom espagnol, ajouta mon père. Un diminutif pour Maria quelque chose, Maria del Pilar, Maria del Consuelo et, dans ce cas, Maria du rosaire. »

J'étais clouée de stupeur. Je ne voulais pas d'elle. J'étais consternée à l'idée qu'une Espagnole allait se joindre à nous. Je la voyais déjà, grosse et brune, avec une longue chevelure noire, une robe à volants qui tourbillonnait quand elle dansait, un peigne et une mantille, tout juste si je ne lui plantais pas une rose entre les dents.

« Il n'y a qu'à répondre à José Carlos que ce n'est pas possible. » Je trouvais cela parfaitement normal. « Il dit qu'on ne doit pas hésiter. Autant écrire tout de suite, pour qu'elle sache bien à l'avance qu'elle ne pourra pas venir. »

Ma mère rit, mais pas mon père. Aujourd'hui, quand j'y repense, tant d'années après, je me rends compte qu'il avait déjà décelé le fond de mon caractère et que cela le tourmentait.

« Il a dit ça pour la forme, m'expliqua-t-il, gentiment mais sans un sourire. Par politesse. Il n'est pas question de refuser.

— En plus, elle est peut-être sympathique », intervint Piers.

Cette éventualité ne me semblait guère envisageable. A l'époque, déjà, je me méfiais pratiquement de tout le monde et je n'ai guère changé depuis. Aujourd'hui encore, je me prépare toujours à ne pas aimer les gens et à ne pas être aimée d'eux. Je les imagine mesquins, peu charitables, envieux. Si on m'invite à un dîner en me disant qu'il y aura telle ou telle personne qui me plaira beaucoup, je refuse systématiquement. Je redoute ce genre de rencontres. D'avance, je prévois que la personne en question sera froide, égocentrique, méchante, désireuse de me blesser, qu'elle sera belle, élégante et brillante, qu'elle me trouvera bête et sans charme, qu'elle ne voudra pas me parler ou que, si elle me parle, ce sera avec l'idée de m'humilier.

Je n'y puis rien. J'ai essayé de remédier à cet état. Des psychothérapeutes ont essayé. C'est l'une des raisons pour lesquelles, bien que jouissant d'une fortune considérable, relativement jolie, assez intelligente et tout à fait capable de tenir ma place dans une conversation, j'ai toujours mené, jusqu'à ces derniers temps, une vie solitaire et recluse ; ce n'est pas tant qu'on me délaisse, mais je suis souvent l'objet de réflexions telles que : « Petra ne viendra pas, il est donc inutile de l'inviter », ou « Il faut téléphoner ou écrire à Petra si longtemps à l'avance et c'est si compliqué de passer chez elle prendre une tasse de thé, que c'en devient décourageant. » Je ne suis pourtant pas spécialement timide, mais étant moi-même froide de nature, je sais le mépris et l'indifférence que ressentent les êtres qui ont le cœur froid et je ne veux pas en être la victime. Je refuse d'être démolie par un regard, un rire, une réflexion blessante, aussi je me ratatine et me fais toute petite. C'est exactement le sens de l'expression « rabaisser quelqu'un ». Il y a également une formule que je comprends fort bien et qu'on emploie lorsqu'on voudrait que la terre s'entrouvre pour vous engloutir ; non que je le souhaite vraiment, mais j'en fais malheureusement l'expérience tous les jours. C'est seulement depuis l'an dernier que le dégel s'est amorcé, que mon cœur, si longtemps fermé, a commencé tout doucement à se réchauffer.

La perspective de la présence de Rosario m'avait donc gâché les journées précédant notre départ pour l'Espagne. Elle serait forcément plus jolie que moi. Plus grande. Quand on avance dans la vie, être plus jeune est un avantage, mais pas à treize ans. Etant plus âgée, Rosario serait obligatoirement plus raffinée, plus savante, bref, supérieure et consciente de l'être. Détail horrible, j'avais également pensé qu'elle ne parlait peut-être pas l'anglais. Elle s'entretiendrait en espagnol avec mes parents, d'égal à égal, liguée avec eux dans la grande conspiration des adultes contre ceux qui sont encore des enfants.

C'est ainsi que l'appréhension avait terni ma joie ; du reste, toute ma vie, il en a été ainsi.

Aujourd'hui, des vols directs relient Majorque à Heathrow ou Gatwick, et il paraît qu'une majorité de gens choisissent les Baléares pour passer leurs vacances. Mais à cette époque, il nous fallut d'abord aller à Paris en chemin de fer, puis prendre un train de nuit qui nous emporta à travers la France, passa au pied de la citadelle de Carcassonne au lever du soleil et franchit la frontière espagnole dans la matinée. Un petit avion rafistolé nous emmena de Barcelone jusqu'à Palma d'où nous partîmes vers le nord de l'île, dans l'une de ces voitures de location déglinguées et peu sûres dont José Carlos avait parlé.

Ayant dormi pendant tout le trajet, je n'avais rien vu de ce pays qui allait nous devenir si familier, nous enchanter par sa beauté et, finalement, nous trahir. Quand je me réveillai, la première chose qui m'apparut fut la mer, d'un bleu irisé, profond et soyeux, reflétant un ciel pur et radieux. La chaleur m'enveloppa ainsi qu'un châle, à l'instant même où je sortais de la voiture pour poser le pied sur les dalles sèches et pâles, que l'ombre des genévriers striait de minces rayures.

Jamais je n'avais rien vu d'aussi beau. Le pourtour de la baie, très boisé, donnait une impression de masse vert sombre, mais le sable était argenté. Le long du rivage, il y avait un dédale de petites maisons blanches aux toits de tuiles plats, une église, avec son campanile trapu, et un hôtel avec une terrasse recouverte d'une vigne, qui avançait sur la mer et tenait à la fois de la jetée et de la tonnelle. En arrière-plan, un panorama de collines jaunes, ponctuées d'arbres et de rochers gris, s'étalait jusqu'au pied des montagnes. Et partout les cyprès, qui ne ressemblaient en rien aux arbres que je connaissais, plus sombres que du houx, minces comme des tiges, groupés en colonnade ou solitaires ainsi qu'un obélisque, projetaient des ombres qui, le soir, dessinaient à l'infini sur le sol des lignes entrelacées. Par-dessus tout ça, le soleil étendait une chaleur sèche, blanche et impitoyable.

Les enfants savent regarder. Ils n'ont rien d'autre à faire. Plus tard, si nous n'avons pas le loisir de regarder tranquillement autour de nous, ce n'est pas uniquement à cause de toutes ces occupations qui ôtent son prix à la vie. Le temps nous manque, nous ne pouvons pas redevenir ce que nous étions, voilà la raison. Quand on est petit, avant que vienne le temps d'étudier, d'aimer, de travailler et d'avoir une maison à soi, quelqu'un d'autre prend soin de tout à notre place. A condition, bien entendu, d'avoir une enfance heureuse et de bons parents. Le vivre et le couvert sont assurés, le lit fait, les vêtements lavés et renouvelés, et l'argent nécessaire à toutes ces choses est là. Inutile de se soucier de ces détails. Le Temps ne souffle pas sur nous son haleine chaude en nous disant : « Allons, allons, presse-toi, tu as des choses à faire, tu vas être en retard, vite, vite, dépêche-toi. »

On peut donc regarder autour de soi. Ou bien, appuyé contre un mur, le menton dans les mains, les coudes sur la pierre chaude et rugueuse, contempler ce qui est juste en face, la mer d'un bleu soyeux qui s'étale sur le sable, en éclaboussures festonnées, les rochers, pareils à des agates brutes serties dans un anneau d'argent. On peut s'allonger sur l'herbe, l'esprit uniquement occupé par des rêveries, et observer la vie microscopique qui habite les milliers de brins d'herbe, comme parmi les arbres d'une forêt. Bientôt, très bientôt, ce ne sera plus possible, car les préoccupations de l'existence viendront vous importuner, accaparer vos pensées, gâchant tout et ouvrant la porte à ces ennemis de la méditation qui ont nom ennui, froideur, raideur et inquiétude.

J'avais alors treize ans et je me trouvais à un carrefour entre avant et maintenant. Je pouvais encore regarder, flâner et rêvasser, le temps restant pour moi un jouet, en attendant de devenir un maître, mais les soucis de l'âge adulte commençaient. Les autres, bien réels, constituaient déjà la seule véritable menace. Si je restais appuyée contre le mur qu'une bougainvillée drapait de velours violet, c'était davantage pour retarder le moment d'être présentée à José Carlos, sa femme Micaela et leur fille Rosario, que pour admirer encore un instant le superbe paysage. Tout en le contemplant, j'imaginais les réflexions méprisantes qu'ils allaient faire à mon endroit.

«Petra!»

C'était mon père qui m'appelait. Il était devant une maison blanche, dont l'étage était entièrement ceint d'un balcon. Des cyprès, semblables à des poteaux ou à de sombres stalagmites, enserraient les murs et peuplaient le jardin. Une fillette était à côté de lui; même de loin, je me rendais compte qu'elle était plus petite que moi, très menue, avec un mince visage encadré par deux grandes masses de cheveux s'ouvrant ainsi que les battants d'un portail. Loin d'imaginer que c'était Rosario, je me dis que ce devait être la fille de la femme de ménage. On ne me la présenterait pas. Je lui accordai à peine un regard. En préparation à la rencontre qui m'attendait, je me cuirassais et faisais le vide dans ma tête. Emergeant de la blanche lumière du soleil, je me dirigeai vers la maison. J'avais déjà posé le pied sur le seuil et poussé la porte d'entrée, quand mon père me dit :

«Viens que je te présente ta cousine.»

Je fus alors bien obligée de me retourner et de la regarder. Elle ne ressemblait pas du tout à l'idée que je m'en étais faite. D'ailleurs, les gens ne ressemblent jamais à

l'idée qu'on s'en fait, et je le sais — je crois bien que je
le savais déjà, à l'époque — mais de le savoir ne change
rien. Jamais je n'ai pu me dire, attends de voir, ne juge
pas à l'avance, réserve tes défenses. Je parvins à lever
les yeux sur elle. Nous échangeâmes un bonjour, sans
nous serrer la main. Maintenant que j'étais près d'elle,
je voyais que j'avais deux ou trois centimètres de plus.
Son teint pâle avait un éclat diffus et elle était mince
comme un elfe. Pour ses cheveux, seulement, j'avais
deviné juste, et encore pas tout à fait. Lisses et brillants,
ils étaient couleur de bois ciré, de vieux meuble, et dix
fois plus longs que les miens. Plus tard, elle me montra
qu'elle pouvait s'asseoir dessus et se draper dedans. En
guise de compliment, ma mère lui dit affectueusement
qu'elle aurait pu tenir le rôle de lady Godiva. Piers, qui
connaissait bien l'histoire, dut alors lui expliquer qui était
lady Godiva.

Donc, la première fois, nous étions restées presque
muettes. Ma surprise était trop forte. Je dois avouer aussi
que j'étais soulagée, car au lieu de l'être hybride, mélange
de Carmen et de religieuse, que j'avais imaginé, je décou-
vrais une petite fille en socquettes, coiffée comme Alice
aux pays des merveilles. Elle avait une robe courte, et
un médaillon en semence de perles renfermant le portrait de sa mère pendait à son cou, accroché à une chaîne.
Elle entra dans la maison la première et se retourna avec
un sourire visiblement destiné à me mettre à l'aise. Je
commençai à me dégeler et à trembler un peu, à mon
habitude. Ses parents étaient déjà à l'intérieur, avec Piers
et maman, mais ils ne restèrent pas longtemps. Quand
ils nous eurent montré où étaient les affaires et dit où
trouver de l'aide si besoin en était, ils repartirent pour
Barcelone.

Nous avions voyagé pendant une journée, une nuit et une demi-journée. Ma mère monta se reposer dans le grand lit, sous la moustiquaire. Mon père alla prendre une douche dans la salle de bains qui ne comportait pas de baignoire, et où l'eau, sans être vraiment froide, était d'une délicieuse fraîcheur.

« Est-ce qu'on peut aller à la mer ? demanda Piers.

— Si tu veux, dit Rosario. Ici, il n'y a pas de marée. On peut se baigner n'importe quand. Allons-y tout de suite et je vous montrerai. »

Elle s'exprimait dans un anglais très correct, avec l'accent curieux d'une personne qui a soigneusement étudié une langue, sans l'avoir pratiquement jamais entendue parler par un autochtone.

« C'est si beau ; je sens que je vais passer toutes mes journées à la mer, s'écria mon frère. Je ne m'en lasserai jamais.

— Peut-être. On verra », dit-elle en inclinant la tête sur le côté.

On finit pourtant par s'en lasser. Ou, plutôt, la mer n'était pas toujours ce délice de douceur caressante dont nous avions eu la révélation le premier jour. Il y eut une invasion de méduses et, une autre fois, le bruit courut qu'un requin pèlerin croisait dans les parages. Les pêcheurs se plaignaient que les nageurs effrayaient le poisson. Et puis, à la longue, y passer toutes nos journées devenait monotone. Mais au début, quand nous nous coulions dans sa tiède étreinte azurée, fascinés par la faune abondante qui peuplait les profondeurs de jade et de vert, par les poissons, les coquillages et les vrilles luisantes des plantes aquatiques, tout nous paraissait d'une beauté plus parfaite encore que dans nos rêves.

Nous étions blancs comme des cachets d'aspirine.

Seuls nos bras avaient un léger hâle, dû à l'été britannique. Piers ne s'était pas baigné depuis son opération ; son caleçon de bain lui montait juste assez haut pour cacher sa cicatrice. La peau de Méditerranéenne de Rosario avait cette teinte olivâtre qui change peu avec les saisons, mais par rapport à nous elle était bronzée. On s'assit tous les trois au soleil, sur les rochers, et elle nous prévint qu'il ne fallait pas quitter la plage sans s'être rhabillé ni se promener en short dans le village ni pénétrer dans l'église — cela pour moi — la tête et les bras nus.

« Je ne crois pas que j'irai à l'église », déclarai-je.

Elle me regarda avec curiosité. Nous ne l'intimidions pas du tout et elle riait de tout ce que nous disions.

« Oh si ! Tu auras envie d'aller partout. Tu voudras tout voir.

— Il y a donc beaucoup de choses à voir ? demanda Piers. Ton père a dit qu'il n'y avait que les bains et les grottes.

— Oui, les grottes. On vous emmènera voir les grottes. Il y a des masses de choses à faire ici, Piers. »

C'était la première fois qu'elle prononçait son prénom. Il la regarda avec plus de sympathie, plus de chaleur qu'auparavant, tant il est vrai que ça réchauffe le cœur de s'entendre appeler par son prénom. Certaines personnes ne le font presque jamais, à moins d'y être obligées. Elles s'arrangent pour mener toute une conversation, poser des questions, y répondre, sans jamais utiliser aucun prénom. Et cet apparent détachement glace tout le monde, tous ceux qui ne comprennent pas que c'est par manque d'assurance qu'elles évitent d'y avoir recours. Il y a le risque de les estropier, de trop les employer, d'avoir l'air de prétendre à une intimité à laquelle on n'a pas droit, de paraître sans gêne, indiscret, prétentieux. C'est un sujet que je connais bien, car je fais partie de ces gens.

Bien vite, Rosario m'appela Petra et Piers l'appela Rosario. Quant à moi, il me fallut, bien entendu, plusieurs jours pour franchir le pas. En rentrant à la maison, Rosario s'exclama :

«Je suis si heureuse que vous soyez venus ! »

Elle ne parlait pas ainsi par politesse, mais parce qu'elle était vraiment ravie. Je ne me voyais pas disant des choses pareilles, même à des êtres très proches. Comment pourrais-je me montrer aussi directe, m'exposer au sarcasme, prêter le flanc au mépris ? Pourtant, en entendant ces paroles, je ne ressentis ni dédain ni envie d'ironiser. Ces mots me faisaient plaisir ; ils me donnaient l'impression que notre présence était désirée, appréciée. Mais j'étais loin d'avoir compris comment faire moi-même ce que faisait Rosario et, quarante ans après, je commence à peine à apprendre.

«Je suis si heureuse que vous soyez venus, répéta-t-elle, devant mes parents, cette fois.

— Et nous, nous sommes heureux d'être ici, Rosario », dit Piers.

En le voyant lui sourire, je réalisai soudain que, jusqu'à présent, il n'avait jamais, pour ainsi dire, connu d'autres filles que moi.

3

Mon frère avait tout pour lui, beauté, intelligence, charme, simplicité, gentillesse, sans compter la générosité d'esprit que devraient posséder tous ceux que les dieux ont favorisés, et qui leur fait, hélas, si souvent défaut. Mon père et ma mère l'idolâtraient. Ils étaient comme ces parents des contes de fées, ces pauvres paysans qui s'estiment indignes d'élever le petit prince qu'une sorcière a déposé dans le berceau de leur enfant.

Pourtant, il leur ressemblait ; il avait hérité du meilleur de leurs dons, du meilleur de leur apparence physique, des dispositions de mon père pour les mathématiques, de la passion que ma mère avait pour la littérature, de leur douceur et leur humour à tous les deux. Les gènes qui déterminent la morphologie d'un individu s'étaient réunis en lui pour produire plus de beauté que mon père et ma mère n'en possédaient.

Il était grand. A seize ans, il dépassait mon père. Il avait les cheveux brun foncé, presque noirs, de ces cheveux fins et soyeux qui blanchissent plus vite que les autres. Mon père, qui n'avait pas encore quarante ans, grisonnait déjà. Piers avait les yeux bleus, comme tout le monde dans la famille, sauf ma tante Sheila qui les a turquoise avec un cercle sombre autour de la pupille. Il n'avait pas un visage de vedette de cinéma ni de mannequin de publicité ou de prêt-à-porter de luxe, mais il ressemblait exactement à ces jeunes gens qu'ont peints les préraphaélites. Connaissez-vous cette étrange toile de Holman Hunt représentant Valentin secourant Sylvia, où l'homme armé a une si douce physionomie, sensible et pensive?

En classe, il était toujours premier. En avance sur ses camarades, il réussissait brillamment aux examens. Il entrerait à Oxford à dix-sept ans au lieu de dix-huit. Il était difficile de savoir s'il était meilleur dans les disciplines scientifiques ou artistiques et il aurait tout aussi bien pu s'orienter vers la philosophie que vers les langues mortes ou la physique.

Les langues vivantes étaient la seule matière où il n'excellait pas et où il obtenait même souvent de moins bons résultats que les autres, ce qu'il ne manquait pas de signaler. Dès le premier soir, à Llosar, par exemple, il complimenta Rosario pour son anglais.

« Rosario, comment se fait-il que tu parles si bien l'anglais, alors que tu n'as jamais quitté l'Espagne?

— Je l'étudie en classe et je prends aussi des leçons particulières.

— Nous aussi nous étudions des langues à l'école, et il y en a qui prennent des leçons particulières, mais apparemment ça ne nous réussit pas.

— Peut-être n'avez-vous pas de bons professeurs.

— C'est notre excuse, mais je me demande si c'est vrai. »

Il s'empressa d'annoncer qu'il était nul en français et que ses deux années d'espagnol avaient été du temps perdu. Tout juste s'il saurait demander l'heure ou son chemin pour aller aux magasins du village. Elle le regarda avec cette façon qu'elle avait, la tête légèrement inclinée de côté, et dit que, s'il voulait, elle lui apprendrait l'espagnol. Jamais une jeune Anglaise n'aurait regardé ainsi un garçon, d'un air franc et pénétrant, avec un rien de maternel, comme pour évaluer les possibilités d'avenir. Le flot brun de ses cheveux se répandit sur ses épaules, balaya son dos, et une longue mèche vint se poser en travers de son cou, ainsi qu'une branche de saule pleureur.

Je parle de mon frère au passé — « Piers était », « Piers faisait » — comme s'il avait perdu toutes ces qualités ou comme s'il était mort. Je ne voudrais pas donner une fausse impression, mais comment raconter autrement cette histoire ? Les choses seraient peut-être moins obscures si je parlais de perte plutôt que de mort, une perte irrémédiable, malgré ce qui est arrivé depuis, et si je décrivais la personnalité de Piers telle qu'elle était à seize ans, en précisant bien clairement que je sais combien un être change en quarante ans, qu'il s'exprime différemment, qu'il oublie certaines connaissances spécifiques, alors qu'il accumule, d'autre part, un énorme savoir. De Piers, je n'étais nullement jalouse, mais c'était sans doute parce que nous n'étions pas du même sexe. Si on me permet d'avancer une théorie aussi extravagante, je dirais que j'aurais peut-être été jalouse s'il avait été ma sœur. Dans une famille de deux enfants, celui qui est le moins gâté par la nature peut toujours penser : « Oui, c'est ainsi que sont traités les membres du sexe opposé, pour eux, c'est différent, ce n'est pas que je sois inférieur ou moins aimé,

mais seulement différent. » Me tenais-je ce raisonnement ?
Au fond de moi, peut-être. En tout cas, il est certain que
je ne suis jamais passée à l'étape suivante ; jamais je ne
me suis demandé quels étaient les privilèges qui auraient
dû être accordés à la différence. De quels avantages par-
ticuliers jouissent les filles et que leurs frères n'ont pas ?
J'acceptais et n'étais pas jalouse.

Au début, je n'en avais pas voulu à Rosario de préférer la compagnie de Piers à la mienne. Je constatais le
fait en le mettant sur le compte de l'âge, puisque, sous
ce rapport, elle était plus proche de Piers que de moi.
Peut-être faudrait-il aussi parler de précocité sexuelle,
même si je ne me le disais pas en ces termes, faute de
posséder le vocabulaire adéquat. Piers n'avait jamais eu
de petite amie et elle, j'en suis sûre, n'était jamais sortie
avec un garçon. J'étais trop jeune pour les imaginer en
Roméo et Juliette, mais je me rendais compte qu'ils se
plaisaient, ainsi que cela arrive aux filles et aux garçons
quand ils commencent à penser au sexe opposé et à l'avenir. Peu m'importait, puisque je n'étais pas exclue ; j'étais
constamment avec eux, et ils avaient tous deux trop bon
cœur pour me tenir à l'écart. De plus, au bout de quelques jours, notre trio devint un quatuor.

A ce moment-là, Piers et moi n'étions pas encore lassés
de la plage et tout ce qu'elle offrait : des kilomètres de
rivage, constitué d'un mélange de terre et de sable, hérissé
de rochers bruns qui poussaient comme des arbustes, une
grève entrecoupée de pins parasols au tronc violacé. Bien
que la marée fût presque inexistante, la mer était propre,

34

et à l'endroit où elle venait lécher le sable, il n'y [...] mousse ni aucun détritus, seulement une mince [...] gazeuse qui se dissolvait aussitôt dans l'eau bleu pâ[...] ses profondeurs abritaient toute une vie aquatique que rien ne venait déranger, des aérocystes, des ruppies vertes, des algues géantes aux plis de soie brune, entre lesquelles évoluaient des petits poissons noirs et argentés, des anémones de mer avec leur bouche moustachue et toute vibrante, des créatures nichées dans des coquillages roses qui se mouvaient avec lenteur dans les fonds herbeux.

En marchant dans l'eau, nous récoltions des trésors trop nombreux pour qu'on pût les rapporter à la maison. Sous la conduite de Rosario, nous étions partis à la découverte de l'autre face du cap, et quand la plage disparaissait, il fallait se mettre à l'eau et nager. L'herbe jaune, les touffes de myrte, de thym et de romarin descendaient jusqu'au rivage, mais à l'endroit où la terre rencontrait la mer se produisait une fantastique explosion de rochers aux formes surprenantes, couleur de coquille d'escargot. Nous les avions escaladés pour explorer les grottes qui trouaient les falaises, sans y trouver rien d'autre que de la poussière desséchée, une odeur de sel et, dans la plus vaste, un crâne de chèvre.

Au bout de trois jours, ayant décidé de ne pas aller plus loin, pour le moment, nous partîmes dans l'autre direction, du côté du port et du village, là où mouillait la petite flotte des bateaux de pêche. Le port était protégé par des digues de calcaire en forme de fer à cheval, et à l'extrémité de la jetée de droite s'élevait une statue de la Vierge, le regard tourné vers la mer et les bras levés comme pour étreindre l'univers.

Les jetées étaient hautes de deux mètres cinquante environ et, sur celle de gauche, en face de *Nuestra Doña*, un jeune garçon était assis, les jambes pendantes. A cet endroit, il y avait beaucoup de fond et nous nagions dans une eau limpide, marbrée de vert foncé, comme de la malachite. Au-dessus de nous, le ciel bleu argenté chatoyait dans la chaleur, et le soleil avait un aspect palpable. Le garçon nous regardait décrire un grand cercle paresseux.

On voyait tout de suite que ce n'était pas un Majorquin. Il avait le teint pâle, avec des taches de son et des cheveux roux. Aujourd'hui je dirais, il me semble, que Will, avec son visage anguleux, avide, son regard effronté, bleu délavé, avait le type écossais, bien qu'il fût né à Bedford, de parents londoniens. Nous sommes toujours amis. Enfin, c'est une façon de parler. Il serait plus exact de dire que nous sommes restés en relation, bien qu'à la vérité il ne m'ait jamais vraiment plu. Dès le début, je l'ai soupçonné de choses difficiles à définir par des mots. D'une certaine hypocrisie, peut-être, d'avoir des idées derrière la tête, de se servir de moi. Il y a dix ans, le jour où il m'a causé l'une des plus grandes surprises de mon existence en me demandant en mariage, j'ai compris, aussitôt passé le premier moment de stupeur, que ce n'était pas l'amour qui motivait sa proposition.

Mais quand nous avions fait sa connaissance, à Majorque, Will n'était qu'un adolescent à la recherche de camarades de son âge. Enfant unique en vacances avec ses parents, il s'ennuyait. Naturellement, ce fut Piers, toujours cordial, chaleureux et dépourvu de toute timidité, qui lui parla le premier. Si nous avions été seules, Rosario et moi, nous ne lui aurions sans doute pas tendu la perche et aurions répondu au regard attentif de ce garçon assis sur la jetée par des culbutes, des cabrioles, des démonstrations de nage papillon et autres acrobaties aquatiques. Nous lui aurions offert un spectacle, ainsi que le font les jeunes femelles d'animaux, sous les yeux du mâle ; puis, l'exhibition terminée, nous nous serions éloignées.

On dit que le hasard est le moteur essentiel de toute histoire. Une chose en entraîne une autre. Ou bien une chose n'en entraîne pas une autre, parce qu'un fait nouveau est survenu pour l'empêcher. A la lumière de ce qui s'est passé ensuite, peut-être aurait-il mieux valu que Piers ne lui ait pas adressé la parole. Nous ne serions jamais allés à la *Casita de Golondro*, ce qui s'y produisit ne serait pas arrivé et nous serions repartis de l'île au complet. Si Piers avait été un peu moins ce qu'il était, un peu plus froid, un peu plus réservé, davantage comme moi. Si nous nous étions retenus de regarder dans la direction de ce garçon et avions continué à nager en détournant les yeux, en nous parlant un peu plus fort, en riant plus ouvertement, ainsi qu'on le fait quand on cherche à signifier à un tiers qu'on n'a pas besoin de lui. Il est certain que notre vie à tous les quatre aurait été profondément modifiée si Piers n'avait rien dit, au lieu de se rapprocher de la digue et de lever les bras en s'écriant :

« Salut. T'es anglais, toi aussi, non ? Tu habites à l'hôtel ? »

Le garçon hocha silencieusement la tête. Il ôta sa chemise et ses espadrilles. Il se leva, retira son pantalon, plia ses vêtements et les empila sur le mur, avec ses chaussures par-dessus. Il avait le corps mince et blanc comme une branche dont on a enlevé l'écorce. Il portait un caleçon de bain noir. Nous nagions tous les trois en rond, les yeux fixés sur lui. Nous savions qu'il allait venir nous rejoindre, mais nous pensions qu'il se pincerait le nez et sauterait en faisant le maximum de remous. Au contraire, il exécuta un plongeon parfait et pénétra dans l'eau avec la précision d'un couteau.

Il cherchait à nous impressionner, bien entendu, à nous épater. Mais nous ne lui en voulions pas. Admiratifs, nous le félicitâmes. Rosario applaudit. Will avait rompu la glace avec autant de maîtrise que son plongeon avait fendu la surface de l'eau.

Il nous annonça qu'il rentrerait avec nous à la nage. Il aimait bien « ce coin » de la plage.

« Et tes affaires ? demanda Piers.

— Ma mère les verra et les prendra », dit-il négligemment, de ce ton des enfants uniques et gâtés, qui sont dorlotés par leurs parents. « Elle m'oblige à garder tout le temps ma chemise et mon pantalon, parce que j'attrape des coups de soleil. Je deviens rouge comme une écrevisse. J'ai moins de peaux que les autres. »

Cette réflexion m'avait inquiétée jusqu'au moment où Piers m'expliqua que tous les êtres humains avaient le même nombre de couches de peau. Ce n'est pas une question de densité, mais de pigmentation. Par la suite, quand notre engouement pour la plage se fut refroidi et que nous entreprîmes d'explorer l'arrière-pays, Will portait souvent un grand chapeau de raphia à large bord. Il aimait bien s'emmitoufler et cette allure vieillotte que ça lui donnait. Grand pour son âge — il avait treize ans, comme moi — il était maigre, efflanqué, avec un long cou.

Après avoir regagné le rivage à la nage, nous nous assîmes sur des rochers, à l'ombre d'un pin, à cause de Will. Il prenait un soin infini à ce qu'aucune tache de lumière ne lui effleure la peau. C'était la deuxième fois qu'il venait à Llosar. Il y avait séjourné avec ses parents, l'année précédente, et se souvenait d'avoir déjà vu Rosario. Il me sembla qu'en disant cela il lui avait jeté un étrange regard oblique, pénétrant et mystérieux, comme s'il savait sur elle des choses que nous ignorions. Ce regard semblait dire : Tout est découvert et le châtiment viendra ou ne viendra pas. C'était une impression qui ne reposait sur rien. Rosario n'avait pas de raison de se sentir coupable, elle n'avait aucun secret. Par la suite, je me rendis compte qu'il se comportait souvent ainsi et que cela décontenançait les gens. Aujourd'hui, si longtemps après, je reconnais là le regard d'un maître chanteur, même si, pour autant que je le sache, Will n'a jamais cherché à extorquer à quiconque de l'argent par la menace.

«Qu'est-ce que vous faites, à part vous baigner?» demanda-t-il.

Rien, lui répondit-on. En tout cas, pas pour l'instant. Rosario semblait sur la défensive. C'était presque une autochtone, dans le fond, et l'attitude de Will, avec son air de tout savoir, était vexante pour elle. Ne nous avait-elle pas énuméré, trois jours plus tôt, les centaines de choses qu'il y avait à faire ici?

«Il y a parfois des courses de taureaux, annonça Will. Elles ont lieu à Palma, le dimanche après-midi. Mes parents y sont allés l'an dernier, mais pas moi. A la vue du sang, je tourne de l'œil. Et puis il y a aussi les grottes du Dragon.

— *Las Cuevas del Drach*, rectifia Rosario.

— C'est ce que j'ai dit, les grottes du Dragon. Et il y en a plein d'autres, vers l'ouest.»

Will hésitait. Songeant à des choses qui étaient peut-être interdites ou déconseillées, il nous regarda et dit, d'un ton que, déjà à l'époque, j'avais trouvé sournois :

«On pourrait aller voir la maison hantée.

39

— La maison hantée, répéta Piers, amusé. Où est-elle ?

— Il parle de la *Casita de Golondro*, expliqua Rosario, sans sourire.

— Je ne sais pas comment on l'appelle. Elle est sur la route de Pollença... enfin, dans les parages. Les gens du village disent qu'elle est hantée. »

Rosario était agacée. Elle était toujours très directe. Ce n'était pas son genre de cacher ce qu'elle pensait, même un bref moment.

« Comment peux-tu savoir ce qu'ils disent. Tu parles espagnol ? Non, c'est bien ce que je pensais. C'est plutôt le patron de l'hôtel qui te l'a dit. Il dit n'importe quoi. Il a raconté à ma mère qu'il avait vu une baleine tout près du Cabo del Pinar.

— Est-ce qu'elle a vraiment la réputation d'être hantée, Rosario ? demanda mon frère.

— Les fantômes n'existent pas, répliqua-t-elle en haussant les épaules. Les catholiques ne croient pas aux esprits ; ils sont censés ne pas y croire. Le père Xaviere serait furieux s'il m'entendait parler de ça. » Rosario évoquait rarement sa religion et je vis une expression de surprise passer sur le visage de Piers. « Tu sais qu'il est une heure et demie, dit-elle à Will qui avait laissé sa montre avec ses vêtements. Tu vas être en retard pour le déjeuner, et nous aussi. »

Rosario et Piers avaient déjà commencé à entretenir des rapports privilégiés. Eux qui se connaissaient depuis si peu de temps, ils communiquaient sans peine par un regard, un geste de la main. D'un signe, involontaire peut-être, et qui m'échappa, il avait dû la retenir. Haussant de nouveau les épaules, elle reprit :

« Tout à l'heure, nous irons au village, au magasin de dentelles. Est-ce que tu veux venir avec nous ? Le soleil sera moins haut et il ne pourra pas brûler ta pauvre peau qui est si fine», ajouta-t-elle avec un soupçon d'ironie, la tête inclinée sur le côté.

Sa mère ayant commandé un jeté de lit à des dentellières, Rosario avait pensé que cela pourrait nous intéresser d'aller les regarder travailler un moment. A cinq heures, nous quittâmes la maison pour chercher Will à son hôtel. Il était assis, tout seul, sur la terrasse ombragée par les sarments entrelacés d'une vigne. A une autre table, quatre femmes, dont l'une était sa mère, ainsi que nous devions l'apprendre par la suite, jouaient au bridge. Will avait changé de chemise et de pantalon, et il avait son chapeau de raphia sur la tête. Tout en se portant à notre rencontre, il s'adressa à sa mère d'une façon qui me sembla bizarre, étant donné que nous venions tout juste de faire sa connaissance, bizarre, mais touchante.

«Mes amis sont là. A tout à l'heure.»

Contrairement à moi, Will n'est pas paralysé par la hantise d'une rebuffade, par la crainte qu'on ne le trouve importun ou insolent, mais il vit dans la même terreur d'être repoussé. Il meurt d'envie d'appartenir à un groupe. Son rêve est de faire partie de quelque cercle très intime, dont les membres l'aimeraient et le respecteraient, et de partager avec eux la connaissance d'un mot de passe secret. Un jour qu'il était en veine de confidences, il m'avait raconté qu'ayant entendu, au cours d'une conversation, quelqu'un qu'il connaissait dire «mon ami» en parlant de lui, des larmes de joie lui étaient montées aux yeux.

Ni chez les dentellières ni à la plage, au moment du crépuscule, il ne reparla de la *Casita de Golondro*, mais le soir, sur la terrasse, derrière la maison, Rosario nous en conta l'histoire. Les nuits de Llosar étaient tièdes et l'air velouté. Sans doute y avait-il des moustiques, puisque les lits étaient protégés par une moustiquaire, mais il me semble en avoir vu très peu. Je me souviens du silence, de la pureté du ciel bleu foncé, de l'éclat des étoiles. Du paysage, on ne discernait que la silhouette sombre des collines, avec çà et là une toute petite lumière qui papillotait. Cette nuit-là, la lune, presque pleine, avait la forme et la couleur d'un melon.

Tout le monde était assis dans des transats, seuls « meubles de jardin » existant à l'époque et qu'on ne voit plus guère aujourd'hui. Moi, j'étais couchée dans un hamac de toile fanée, tendu entre un pilier de la véranda et un cyprès. Mon frère regardait Rosario avec une incroyable intensité. A mon avis, si j'ai conservé un souvenir si vif de cette soirée, c'est parce que ce regard m'avait frappée. On aurait dit qu'il n'avait jamais vu une fille. En tout cas, c'est ce que je pense aujourd'hui, car je ne crois pas m'être fait cette réflexion à treize ans. Cela me gênait, cette façon qu'il avait de la fixer. Elle parlait de la *Casita* et il ne la quittait pas du regard, mais quand elle leva les yeux vers lui, il sourit en détournant les siens.

La réticence qu'éprouvait Rosario à parler des fantômes semblait s'être dissipée. Comment ne pas en conclure que ce revirement avait coïncidé avec le retour de Will à son hôtel ?

« S'il ne faisait pas nuit, on pourrait voir d'ici les arbres qui entourent la maison », dit-elle en montrant les ténèbres, en direction du sud-ouest, là où se profilaient les montagnes. « *Casita* veut dire petite maison, pourtant elle est très grande et très ancienne. Sur le devant, il y a une grosse porte et, derrière, des arcades et des piliers, je ne sais pas comment vous appelez ça.

— Une colonnade, proposa Piers.

— Oui, peut-être. Merci. Il y a aussi un immense jardin

entouré d'un mur, avec un portail en fer. Il est à l'abandon ; il n'y a plus que des arbres et des broussailles ; le mur est en partie démoli, voilà comment j'ai pu voir ce que tu as dit... la colonnade.

— Et personne n'y habite ?

— A ma connaissance, personne n'y a jamais habité. Pourtant, elle a un propriétaire, elle appartient à quelqu'un, mais il ne vient jamais. Elle est complètement fermée. Will répète ce que racontent les gens du village, mais il ne sait pas ce qu'ils disent. Il n'y a pas de fantômes, enfin pas de gens morts qui reviennent, mais seulement une pièce maléfique où il ne faut pas entrer. »

Cette remarque nous excita d'autant plus, Piers et moi, qu'elle était formulée dans un anglais un peu maladroit. Mais ce dont je me souviens aujourd'hui avec le plus d'acuité, c'est ce qu'avait dit Rosario, juste avant, à propos des morts qui reviennent. Ce sont ces mots, oubliés depuis longtemps, qui allaient surgir du passé pour « revenir » eux aussi, le jour où une corde de ma mémoire se trouverait douloureusement pincée. Je me surprends parfois à les réciter silencieusement, ainsi qu'un mantra ou une prière de ce rosaire d'où elle tenait son nom. Des morts qui reviennent, des disparus qui se dressent d'entre les défunts, des morts qui reparaissent enfin.

Mais ce soir-là, ce furent les paroles qui suivirent cette remarque prophétique qui nous frappèrent le plus. Aussitôt, Piers lui posa des questions au sujet de la pièce « maléfique », mais obéissant à la grande tradition des conteurs d'histoires de fantômes, Rosario déclara ignorer de quelle pièce il s'agissait exactement. On disait que celui qui y entrait savait. La pièce se révélait d'elle-même.

« Il paraît que ceux qui entrent dans cette pièce n'en ressortent jamais.

— Tu veux dire qu'ils disparaissent, Rosario ? demanda mon frère.

— Je ne sais pas. Je ne peux pas te dire. On ne les revoit plus... voilà ce qu'on dit.

— Mais tu as dit que c'était une grande maison. Il doit y avoir plein de pièces. Si on savait laquelle est hantée, on n'aurait qu'à ne pas y entrer, tout simplement, tu ne crois pas ? »

Rosario rit. A mon avis, elle ne croyait pas un mot de toutes ces histoires qui ne lui avaient jamais fait peur.

« On ne s'en aperçoit peut-être qu'une fois qu'on est entré dans la pièce, et alors c'est trop tard. Ça te va ?

— Parfaitement. C'est lugubre à souhait. On connaît des gens qui ont disparu ?

— Oui, le cousin de Carmela Valdez. Il paraît qu'il est entré en cassant une vitre, parce qu'il y avait des choses à voler, c'était un bon à rien, il ne travaillait pas. » Elle chercha une expression appropriée mais la cita un peu de travers. « La chèvre galeuse de la famille. »

Rosario était, à juste titre, fière de son anglais et, en entendant nos rires, elle eut seulement un air satisfait. Peut-être percevait-elle déjà de l'admiration dans le regard de Piers.

« Il a disparu, en effet, mais derrière des barreaux, à Barcelone », précisa-t-elle.

Elle refusa de donner à Piers la signification du mot *golondro*. Qu'il cherche donc lui-même. De la sorte, il s'en souviendrait mieux. Piers revint avec le dictionnaire que Rosario et lui allaient utiliser pour les leçons, et trouva la définition suivante : caprice, désir.

« La petite maison du désir, déclara Piers. Est-ce qu'on peut imaginer une maison qui s'appellerait ainsi, en Angleterre ? »

44

Ma mère arriva, apportant le dîner et des boissons fraîches, sur un plateau. Ce soir-là, il ne fut plus question de la *Casita* et, pendant un certain temps, on n'en reparla plus. Le lendemain, Rosario commença à donner à Piers des leçons d'espagnol. Après le déjeuner, comme il faisait trop chaud, nous restions à l'intérieur pendant deux ou trois heures, au moment de la sieste. Mais il est impossible à des adolescents de dormir dans la journée. Je déambulais donc à travers la maison, attendant avec impatience l'instant magique où quatre heures sonnaient. Je lisais, j'écrivais mon journal ou je contemplais, par la fenêtre de ma chambre, les collines jaunes couronnées d'oliviers gris, avec leurs broderies de lauriers et de genévriers, semblables à de grands points de tapisserie noirs ; et puis, maintenant que je connaissais son existence, j'essayais de deviner l'emplacement de la maison à la pièce maléfique.

Pour leur leçon quotidienne, Piers et Rosario avaient pris possession de la salle à manger, blanche et fraîche, avec son mobilier foncé, en bois sculpté. Ils n'en avaient défendu l'entrée à personne. Sans doute pensaient-ils, par humilité, que l'occupation à laquelle ils se livraient n'était pas suffisamment importante pour cela et, souvent, ma mère arrivait et s'asseyait au bureau pour écrire une lettre, pendant que Concepción, qui faisait le ménage, rangeait l'argenterie dans un tiroir du buffet ou recouvrait la table d'une nappe en dentelle propre. J'entrais et sortais, attentive non point aux paroles de Rosario, mais à son ton patient de pédagogue. Un jour, je l'avais vue corriger la prononciation de Piers en lui mettant un doigt sur les lèvres, le doigt auquel elle portait une bague faite de deux minuscules turquoises montées sur un anneau d'or. Elle l'avait posé là, comme pour

45

modeler sa bouche autour du son doux et guttural. Ils étaient assis côte à côte, la belle tête brune et lisse de mon frère tout près de la chevelure cuivrée de Rosario, qui retombait sur ses épaules ainsi qu'un manteau, me faisant invariablement penser à une cape en bois ciré, avec l'épaisseur, le grain et le lustre du bois, comme si ma cousine avait été une nymphe sculptée dans le tronc d'un arbre.

A passer tous leurs après-midi ensemble, ils se rapprochaient de plus en plus ; puis, quand la leçon était terminée et que nous sortions tous les trois dans le soleil, pour aller à la plage, au village ou encore chercher Will à l'hôtel, ils se parlaient en espagnol et j'étais exclue de leur conversation. Elle devait être bon professeur, et lui un élève appliqué, car malgré son prétendu manque de dons pour les langues, il faisait de rapides progrès. Au bout d'une semaine, il baragouinait déjà en espagnol, mais bien entendu je ne pouvais pas juger de la correction de son langage. Ensemble, ils discutaient et riaient, installés dans un monde à eux, un monde d'autant plus délicieux pour mon frère qu'il n'aurait jamais imaginé y être un jour admis.

A m'entendre, on pourrait croire que c'était dur pour moi, mais en réalité je ne souffrais pas trop. Piers n'était pas égoïste et jamais il n'était cruel. Il était le seul de mon entourage à avoir deviné ma timidité et mes angoisses, une porte qu'on vous claque au nez, un code secret dont, ainsi que dans un mauvais rêve, on vous refuse la clé, alors que vos camarades la possèdent. Quand ils avaient bavardé une demi-heure en espagnol, leur bonne éducation reprenait le dessus, ils se rappelaient leur devoir envers Will et moi, et nous retournions à la langue qui nous était commune. Une seule fois, Will trouva l'occasion de remarquer :

«Nous parlons tous anglais, il me semble.»

Malgré tout, il était évident que Piers et Rosario commençaient à considérer que Will formait une paire avec moi, tandis qu'eux deux en faisaient une autre. Ils souhaitaient furieusement voir les choses sous cet angle et, bientôt, ce fut ce qui arriva. Leur unique envie était d'être seuls tous les deux. Je ne m'en rendais pas compte, le savoir m'aurait été intolérable. Je n'étais pas capable de le comprendre, voilà tout, mais je l'ai compris depuis. Amoureux pour la première fois de sa vie, mon frère était héroïque de ne pas nous exclure, Will et moi, de rester poli, gentil et attentionné envers nous. Il y a un abîme entre les âges de treize et seize ans. Je l'ignorais, mais Piers le sentait. Il savait qu'aucune passerelle ne peut réunir le niveau inférieur au supérieur, aussi faisait-il les concessions nécessaires.

Le lendemain de l'invasion des méduses, la plage nous devint soudain inhospitalière et nous fûmes privés, du moins temporairement, de notre principale distraction. Assis sur le mur d'un pont qui enjambait une rivière asséchée, nous regardions l'arrière-pays, aride mais superbe, le ruban goudronné qui partait vers Palma et la petite route qui s'en détachait pour prendre la direction du nord.

«Si on allait voir la petite maison hantée», proposa Will.

Il avait lancé ça dans une intention un peu perverse, pour «embêter» Rosario qu'il n'aimait pas plus qu'elle ne l'aimait. Mais au lieu de se mettre en colère ou de refuser carrément, elle se contenta de sourire et dit quelque chose à mon frère, en espagnol.

«Pourquoi pas?» fit alors Piers.

4

Qu'elles étaient belles, ces méduses. C'est en tout cas ce que disait Piers. Pour ma part, je les trouvais répugnantes. Un jour, bien plus tard, en voyant une de la même espèce, dans un musée océanographique, j'ai été prise d'un malaise. Ma gorge s'est nouée, je m'étouffais et il m'a fallu sortir. *Phylum cnidaria*, méduse. Ces créatures tiennent leur nom de la Gorgone au regard pétrifiant, dont la chevelure est constituée d'une masse de serpents entrelacés.

Celles qui étaient venues s'échouer par milliers sur la plage de Llosar étaient d'une transparence vitreuse, couleur d'aigue-marine, et de leur corps en forme d'ombrelle pendaient des tentacules cristallins, des sortes de pattes semblables à des stalactites. C'est du moins l'aspect qu'elles offraient quand elles flottaient juste sous la surface de l'eau bleue. Naufragées sur le sable et les rochers, elles se ratatinaient en disques aplatis et gélatineux, évoquant un entremets affaissé. Aidé de Will, mon frère qui avait bon cœur s'acharnait à les remettre à l'eau pour les sauver du soleil, mais bien que la marée fût à peu près nulle, la mer qui montait les rejetait sans cesse sur la grève. Je ne parvenais pas à comprendre comment ils pouvaient toucher ces choses visqueuses et gluantes. Rosario se tenait elle aussi à l'écart et les observait avec une perplexité amusée.

Le lendemain, la plage était envahie par une horrible puanteur, à l'endroit où le soleil avait cuit les méduses, accélérant le processus de décomposition. Il n'était donc pas question d'y aller. Nous descendîmes au village et, de là, nous prîmes la route de Pollença qui traverse des vergers d'abricotiers et des plantations d'amandiers. Les abricots séchaient au soleil, sur des clayettes, dans une chaleur pesante et uniforme. Depuis quinze jours que nous étions à Llosar, nous n'avions pas vu un seul nuage. Le bleu du ciel étincelait dans la lumière caniculaire d'un soleil invisible. On ne le voyait en effet qu'au moment où il se couchait et basculait dans la mer en grésillant, comme du fer chauffé au rouge qu'on plonge dans de l'eau.

La route était ombragée par les arbres fruitiers, et les branches touffues des pins protégeaient le pont qui enjambait la rivière asséchée. C'est là, pendant que nous nous reposions en contemplant les collines jaunes et les bosquets d'oliviers, que Will avait proposé d'aller voir « la petite maison hantée », et que mon frère avait répondu : « Pourquoi pas ? » Rosario avait eu un léger sourire mystérieux et on s'était remis tous les quatre en chemin, Will et moi devant, elle et Piers derrière.

La *Casita de Golondro* n'était pas très loin. S'il y avait eu, mettons, plus de trois kilomètres, je doute que même des « fous de touristes », ainsi que nous appelaient les gens du village, auraient songé à marcher par une telle chaleur. Il y avait un car qui allait à Palma, mais il était parti depuis longtemps. Si incroyable que cela semble aujourd'hui, nous ne rencontrâmes pas une seule voiture. Il y avait cependant quelques automobiles sur l'île à l'époque ; à plusieurs reprises, mes parents en avaient loué une, avec un chauffeur ; le surlendemain, nous avions d'ailleurs prévu d'aller tous ensemble visiter les grottes du Dragon. Mais c'était encore un moyen de locomotion peu courant, et le passage d'une voiture provoquait toujours des commentaires. Justement, alors que nous arrivions à l'embranchement qui conduisait à la *Casita*, par une route en terre, un véhicule nous dépassa, une antique Citroën dont la carrosserie était cabossée et éraflée, mais nous n'en vîmes pas d'autre de toute la journée.

De la route, on distinguait à peine la petite maison hantée, la petite maison du caprice ou du désir. D'épais taillis, qu'on voyait de Llosar, la dissimulaient. Ils étaient constitués d'arbres que nous ne connaissions pas, des caroubiers, des yeuses, qui posaient une tache sombre et opaque sur les jaunes et les gris des collines, mais le bâtiment lui-même était invisible. D'où nous étions, on entrevoyait seulement, à travers la végétation, un vieux pan de mur crépi en ocre ou un bout de toit de tuiles. Le mur chaulé qui entourait ce que Piers avait baptisé « le domaine » était trop haut pour qu'on puisse regarder par-dessus, et ce fut à travers les barreaux cassés et les entrelacs des grilles en fer forgé cadenassées que nous eûmes notre première vision de la *Casita*.

Nous longeâmes le mur qui, très vite, s'écartait du chemin pour descendre parmi de gros blocs, des oliviers rabougris, des broussailles, des myrtes et qui, en maints endroits, s'était éventré sous la vigoureuse poussée d'un genévrier qui avait fait éclater la pierre et le mortier. Si, depuis la route, nous avions pu voir la plus grande de ces brèches, nous nous serions épargné un bon demi-kilomètre de marche. Rosario fut la seule à émettre une objection quand Will voulut escalader le mur. Elle déclara que nous avions dépassé l'âge de faire ce genre de choses, mais le sourire de mon frère — qui ne lui avait pas échappé — disait assez combien cette aventure l'amusait. Aujourd'hui, je comprends, mais à l'époque je m'en étais étonnée. Se lancer dans pareille entreprise ne lui ressemblait absolument pas. En principe, il aurait dû juger qu'il était trop grand pour ça, trop responsable. Il aurait dû dire non, gentiment, et refuser fermement de songer à continuer. Mais il avait accepté et dit : « Pourquoi pas ? » A mon avis, c'est parce qu'il voyait là une possibilité d'être seul avec Rosario.

Oh, pas pour se livrer à des jeux érotiques, ce n'est pas ce que j'ai voulu dire. Au point où ils en étaient de leurs relations, il n'envisageait sûrement pas la chose sous cet angle. Mais songez au peu d'occasions qu'il avait, ne serait-ce que de parler avec elle, en tête à tête. Même l'après-midi, pendant les leçons d'espagnol, ils étaient constamment dérangés. Le soir, sur la véranda, j'étais toujours là. L'idée de ne pas y être ne m'effleurait même pas, et j'aurais été très malheureuse, mon frère le savait, s'il m'avait fait sentir, par la moindre allusion, que j'étais de trop. Je crois d'ailleurs que l'idée de les voir rester seuls aurait considérablement déplu à mes parents qui auraient tenté par tous les moyens d'empêcher que cela ne se produise, quitte peut-être à nous ramener en Angleterre.

En avait-il parlé avec Rosario ? Je l'ignore. Le fait est qu'elle ne refusait plus d'aller jeter un coup d'œil à la « petite maison hantée », alors que jusque-là elle s'y était fermement opposée. Si Piers était amoureux d'elle, elle l'était au moins autant de lui. Avec quarante ans de recul, je déchiffre la signification de certaines paroles, de coups d'œil échangés, de regards et d'airs extasiés, ces symptômes d'un premier amour. A l'époque, j'en concluais seulement que Piers et Rosario partageaient un savoir spécifique lié à la langue espagnole, qui créait entre eux une complicité dont j'étais exclue.

Le jardin n'était pratiquement plus qu'un morceau de la colline, entouré d'un mur. La végétation l'avait irrémédiablement envahi. A l'intérieur de cette clôture poussaient des arbres d'une espèce qu'on ne voyait pas de l'autre côté. Des lambeaux de maçonnerie gisaient parmi les myrtes et les arbousiers, ainsi que les vestiges d'une fontaine et d'une statue mangée par la mousse. Des lauriers, assez rares ailleurs, embaumaient l'air, et il y avait des bruyères aux fleurs roses, aussi grandes que des arbustes. Les allées avaient presque disparu sous un tapis de petites plantes rêches. A certains endroits, il fallait se battre pour avancer et se frayer un passage parmi les épineux et les lauriers, mais grâce à notre obstination, après avoir traversé un dernier taillis de genévriers, nous débouchâmes enfin dans un espace dégagé, pavé de dalles fendues. La maison, avec sa colonnade, apparut soudain, si proche que c'en était inquiétant. Ainsi que dans un rêve, quand les distances ne signifient presque rien et que l'on franchit des kilomètres en un instant. Elle avait surgi devant nous, comme si elle était venue à notre rencontre.

Ce n'était pas une « petite » maison. C'est un terme relatif et ses propriétaires possédaient peut-être un palais ailleurs. C'était, selon moi, une imposante demeure ; jamais je n'en avais vu d'aussi grande. Si on avait mis la villa de José Carlos à Llosar et notre maison de Londres à l'intérieur de la *Casita*, elles auraient été noyées parmi la quantité innombrable des pièces.

La façade était recouverte d'un crépi qui s'était écaillé en maints endroits, laissant apparaître la brique claire. La colonnade se composait de huit arcades soutenues par des piliers. Will décréta qu'elle était de style «mauresque», mais je suis persuadée qu'il ne savait pas trop ce que ce mot signifiait. Au-dessus, il y avait une rangée de fenêtres agrémentées d'une balustrade en pierre, dont tous les volets étaient ouverts ; puis un rebord plat, un bandeau de crépi, avec des panneaux gravés ou sculptés, et enfin un toit de tuiles roses très peu incliné.

A l'intérieur de la colonnade, à gauche de l'entrée principale, se trouvait la fenêtre que le cousin de Carmela Valdez avait (probablement) cassée. On l'avait bouchée avec un bout de toile cloué sur le châssis, le plastique étant une denrée rare à l'époque. Will fut le premier à s'approcher. Il avait une chemise à manches longues, un pantalon et son chapeau de raphia. Il tira sur le morceau d'étoffe qui calfeutrait la vitre brisée jusqu'à ce qu'un coin se détache, et regarda à l'intérieur.

« Il n'y a rien, dit-il. C'est vieux et vide. C'est peut-être *la* pièce.

— Non, dit Rosario sans préciser comment elle le savait.

— Je pourrais entrer par là et vous ouvrir la porte.

— Si c'est *la* pièce, tu ne ressortiras jamais, dis-je.

— Il y a une table avec une bougie dessus, annonça Will, la tête dans l'encadrement de la fenêtre. Quelqu'un a mangé et a laissé du pain et d'autres trucs. Ça pue, est-ce que vous croyez qu'il y a des rats ?

— Je pense qu'on devrait partir, maintenant. »

Tout en parlant, Rosario avait regardé Piers qui enchaîna aussitôt :

« D'accord. On n'entrera pas dans la maison aujourd'hui. Et peut-être même qu'on n'y entrera jamais. »

Will dégagea sa tête de la fenêtre, et son chapeau tomba par terre.

« Eh bien, moi, j'y entrerai, ça, je vous le promets. Je ne retournerai pas en Angleterre avant. Nous repartons la semaine prochaine. D'accord pour ne pas y aller aujourd'hui, mais je vote pour qu'on revienne tous demain et qu'on explore la maison, comme ça, on saura. »

Il ne donna aucune précision sur ce que nous saurions, mais tout le monde comprit. La maison était un défi à relever. En outre, nous étions désormais allés trop loin pour renoncer. Pourtant, aujourd'hui encore, je ne comprends toujours pas pourquoi, alors que nous disposions de la plage, de la mer, de la campagne, du village, de bateaux pour nous emmener à Pinar ou à Formentera, aussi souvent que nous le désirions, nous étions tellement attirés par cette maison abandonnée et ses pièces vides. Pour Piers et Rosario, ce pouvait être un lieu de rendez-vous, mais qu'avait-elle de si séduisant, de si magique pour Will et moi ?

Will donna justement la réponse, en des termes utilisés par tant d'explorateurs et d'alpinistes. « C'est *là* », dit-il.

Le lendemain, on alla visiter les *Cuevas del Drach*. Les parents de Will, avec qui les nôtres avaient lié connaissance, étaient également de la partie, et nous avions loué deux voitures. Au bord de la route, entre C'an Picafort et Arta, poussaient ces arbousiers qui, dans un mois ou deux, nous dit la mère de Will, porteraient en même temps des fleurs blanches et des fruits rouges. J'avais très envie de voir ça, mais le verrai-je un jour ? me demandai-je. Elle précisa que les fruits ressemblaient à des fraises qui auraient poussé sur un arbre.

« On dirait des fraises, mais elles n'ont aucun goût. »

C'est l'une des seules remarques d'Iris Harvey dont je me souvienne, c'est-à-dire dont je me souvienne mot pour mot. Cette réflexion m'avait semblé triste, mais je la considère aujourd'hui comme un aphorisme. Le fruit de l'arbousier est beau, il est rouge et luisant, il ressemble à une fraise mais n'a aucun goût.

Elle avait ajouté que les arbousiers poussaient uniquement dans cette partie de l'île. Elle semblait tout savoir sur le sujet. Elle ignorait pourtant que ces arbustes croissaient à profusion autour de la petite maison hantée. Je les avais reconnus à leur feuillage lisse et vernissé, pareil à celui des végétaux qu'on trouve dans les jardins et qui ne sont pas sauvages. Au milieu des pierres éboulées, parmi les genévriers et les myrtes, où tout avait un aspect sec et poussiéreux, j'avais été frappée de voir ces feuilles aussi vertes que si on les avait arrosées tous les jours.

Au retour, en allant inspecter la plage, nous constatâmes que les méduses avaient presque disparu. Il n'en subsistait que des plaques sur les rochers, des plaques luisantes comme de la bave d'escargot. Piers et Rosario s'installèrent sur la véranda pour la leçon d'espagnol et Will regagna son hôtel, ses poignets de chemise boutonnés et le chapeau enfoncé sur la tête.

« A demain, alors », lui avait dit Piers en le quittant, et Will avait hoché la tête.

Il était inutile d'en dire plus. On ne reparla pas de l'affaire. Nous avions pris chacun notre décision séparément, au même moment, peut-être, pendant le trajet en voiture, dans les grottes ou encore au bord du lac souterrain. Demain, nous retournerions à la petite maison hantée, pour voir à quoi ça ressemblait, parce que c'était *là*. Mais il se produisit auparavant une chose terrible ou merveilleuse, selon le point de vue qu'on adopte, selon le point de vue que j'adoptai, et qu'il m'a toujours été difficile de définir exactement. J'en avais l'esprit si plein que je ne pouvais pratiquement penser à rien d'autre.

Mes parents étaient allés se coucher. J'étais montée dans la chambre que je partageais avec Rosario pour arranger ma moustiquaire. L'hôtel où nous sommes actuellement est climatisé, on n'ouvre jamais les fenêtres. On va, on vient, on s'habille, on dort dans une fraîcheur qu'on ne supporterait pas en Angleterre, dans un air glacé qui jure avec le ciel sans nuages et les collines arides qu'on voit de l'autre côté de la vitre. C'est tellement mieux de pouvoir rabattre les volets contre le mur, ouvrir grandes les croisées, puis déployer la moustiquaire pour se protéger des insectes et dormir dans une pièce aérée. Les pans de tulle étaient suspendus un peu à la façon d'un baldaquin et, le matin, dans la hâte du départ pour les *Cuevas*, j'avais oublié de les tirer.

Après avoir vérifié qu'il n'y avait pas d'insectes à l'intérieur de la moustiquaire, je la fermai et éteignis la lumière afin qu'aucune autre bête n'entre dans la chambre. Pour ne pas tuer une araignée, je la pris avec mon mouchoir et la relâchai dans la nuit, par la fenêtre. La lune nacrée était dans sa phase croissante et les étoiles resplendissaient. Malgré l'obscurité, une obscurité d'une clarté intense, brillante, pourrait-on dire, on distinguait nettement les détails du petit jardin clos. Ce n'était pas la lumière qui manquait, mais la couleur. C'était un univers monochrome, dans les tons de noir, d'argent, d'étain, de perle et de plomb, avec le gris velouté et opaque de la pierre. La lune luisait d'une blancheur opalescente et, plutôt que des mondes, les étoiles étaient des trous remplis de lumière, parsemant les cieux.

Au début, je ne les avais pas vus. Je regardais les collines et les montagnes qui s'étendaient au-delà du jardin, chaînes de ténèbres dentelées contre l'éclat pâle du ciel, quand un bruit léger ou un infime mouvement tout proche me fit baisser les yeux. Ils étaient assis sur le banc de pierre, dans l'ombre profonde du mur. Piers se leva, puis Rosario. Il était beaucoup plus grand qu'elle. Il se pencha et elle haussa la tête vers lui. Les yeux dans ses yeux, il l'enlaça, posa sa bouche sur la sienne et, l'espace d'un instant, avant qu'ils soient happés par les ténèbres, j'eus l'impression, tant ils étaient près l'un de l'autre, qu'ils formaient un seul être ; ils étaient semblables à deux cyprès entremêlés, issus du même tronc. Et, sur les pierres blanchies par la lune, leur ombre avait la forme allongée d'un arbre unique.

Je fus saisie d'épouvante. Je venais de recevoir un choc. Mon univers avait soudain basculé. On m'avait, en quelque sorte, laissée tomber. Je m'enfuis, avec le geste horrifié de quelqu'un qui vient d'assister à une scène de violence. Je me réfugiai sous la moustiquaire, en ramenai les pans autour de moi et me cachai dans le noir. Allongée dans une posture rigide, les mains nouées, je me mis sur le ventre et enfonçai la tête dans mon oreiller.

Rosario monta, entra dans la chambre, me parla à voix basse, mais je ne répondis pas. Elle referma la porte et je devinai qu'elle se déshabillait dans l'obscurité. De ma vie, je ne m'étais sentie aussi seule. Moi, je n'aurais jamais personne pour m'aimer, je serais toujours solitaire. Etre abandonnée me semblait une affreuse réalité qu'il fallait

assumer et non une situation évitable. Juste avant de som-
brer dans le sommeil, je crus me voir, me levant le lendemain matin pour trouver mes parents, Piers et Rosario partis, l'hôtel vide, le village dépeuplé, Majorque
devenue une île déserte où il n'y avait plus que moi, toute
seule et désespérée. Non, en réalité, la dernière image
qui m'apparut avant de m'endormir fut celle du cyprès
au tronc double, avec ses branches entremêlées et son
ombre formant une silhouette unique.

5

Nous pénétrâmes dans la petite maison du désir, la petite maison hantée (*la casita que tiene fantasmas*), par la grande porte, Rosario en tête. Will était passé par la fenêtre fracturée, puis il était venu nous ouvrir. Pour entrer de l'extérieur, il fallait une clé, mais de l'intérieur, il suffisait de tourner la poignée. Piers emboîta le pas à Rosario et moi, je suivis Piers, avec le sentiment d'être la dernière, le rebut, celle dont personne ne veut.

Ce qui était faux, bien entendu. C'est dans ma tête qu'avait eu lieu la transformation, et non dans la réalité objective. Le matin, je ne m'étais pas réveillée abandonnée de tous, seule dans un pays étranger, mais traitée exactement comme d'habitude. Piers était aussi affectueux que la veille, aussi fraternel, mes parents aussi tendres, Rosario me témoignait autant de gentillesse et d'attention. C'est moi qui étais différente. Ce que j'avais vu m'avait transformée.

Comme je l'ai dit, j'étais incapable de penser à autre chose. Ce à quoi j'avais assisté n'avait provoqué en moi nul frisson, nulle curiosité ; j'aurais voulu non point ne pas avoir vu cette chose, mais plutôt qu'elle ne se soit jamais produite. Contrairement à ce qui aurait pu se passer, je ne ressentais aucune gêne en leur compagnie. Je me disais simplement, sans raison aucune, qu'ils s'aimaient davantage l'un l'autre qu'ils ne m'aimaient, moi, qu'ils se l'exprimaient d'une façon dont ils n'auraient pu le faire avec moi et que désormais, à cause de cela, *à cause de quelque chose qu'il ne savait pas et qu'il ne pouvait pas savoir*, Will devait, lui aussi, les préférer à moi.

En allant à la *Casita*, je n'avais presque rien dit. Bien entendu, j'attendais que Piers m'en demande la raison. Je ne lui aurais pas avoué la vérité. Mais le problème n'était pas là. Le problème était que je ne comprenais pas. Pourquoi, pourquoi ? Qu'est-ce qui les avait poussés à se conduire ainsi ? Pourquoi avaient-ils tout gâché ? A mes yeux, ils étaient devenus différents. Des étrangers. Ils m'apparaissaient comme des créatures mystérieuses. Pour la première fois, je sentais vaguement qu'il est impossible de connaître un être humain, et j'entrevis comment on peut être conduit à la solitude. Mais ce qui me frappa le plus, c'était que notre petit clan, uni jusqu'alors, était désormais partagé en deux : Piers et Rosario d'un côté, Will et moi de l'autre.

Mais je n'avais pas choisi Will. Il est d'ailleurs rare qu'on choisisse ceux qu'on appelle ses amis. Ils nous ont été imposés, d'une façon ou d'une autre. L'occasion ne nous est jamais donnée de faire défiler une centaine de personnes, pour en sélectionner une ou deux. Je ne savais rien de tout ça, à l'époque, et j'en voulais à Will d'être

Will, effronté, indiscret, avec ses cheveux roux, sa peau sensible, son ridicule chapeau, et parce qu'il était tellement moins sympathique que mon frère ou Rosario. Mais il m'était destiné, alors qu'eux ne l'étaient pas, ne l'étaient plus. Je sentais qu'il pensait la même chose à mon sujet. Il fallait bien qu'il se contente de moi, sa compagne faute de mieux. Ce serait mon sort, dans la vie, et peut-être aussi le sien, mais peu m'importait alors. C'est à cause de cela, de tout cela, que nous avions pénétré dans la *Casita*. Piers et Rosario entrèrent dans une pièce, Will se dirigea vers le vestibule, sur le devant du bâtiment, tandis que je m'engageais dans l'escalier.

La maison ne me faisait pas peur, du moins pas encore. J'étais trop malheureuse. Mon chagrin était d'origine humaine et non surnaturelle. Si je pensais si peu que ce fût à la « pièce maléfique », c'était avec ce détachement, ce fatalisme qu'on a parfois dans l'adversité : tout va tellement mal que quoi qu'il arrive, catastrophe, mort, dépossession, ce sera un soulagement. Je montai donc l'escalier et partis en exploration, inspectant toutes les pièces, sans fébrilité et sans grand intérêt.

La maison avait deux étages. A l'exception de quelques objets difficiles à déplacer, de lourds miroirs fixés au mur dans leurs cadres, un énorme lit à colonnes en chêne noir, une armoire peinte, il n'y avait plus de meubles. J'entendis les voix de Piers et de Rosario montant par l'escalier et je compris que Piers ne se serait pas attardé à l'intérieur de la maison et qu'il nous aurait obligés à partir, si elle avait contenu du mobilier, des tapis et des tableaux. Il avait le respect de la loi et le sens des responsabilités. Il ne se serait pas introduit dans un lieu susceptible d'être habité.

Mais cette bâtisse était abandonnée depuis des années.

Du moins, c'est ce qu'il me semblait. Les glaces étaient obscurcies par une couche de crasse bleutée. Nul volet, nul rideau n'arrêtait les rayons du soleil qui illuminaient des strates de poussière ondulant paresseusement dans une chaleur presque intolérable. Sans doute parce que je venais d'un pays du Nord, j'associais les fantômes au froid. Aussi, malgré ce que je savais maintenant de Llosar, je m'étais attendu à ce qu'il fît froid et sombre à l'intérieur de la *Casita de Golondro*.

Mais la chaleur était étouffante et l'air dense comme un gaz. On y respirait une poussière brûlante qui restait en suspension dans l'atmosphère. Les fenêtres étaient grandes et une lumière embrumée et poudreuse envahissait la maison où il faisait presque aussi clair que dehors. Dans une pièce du premier étage, je m'approchai d'une croisée, dans l'intention de l'ouvrir, mais elle était coincée et je ne parvenais pas à tourner la poignée. Alors, pendant que je m'escrimais, Will arriva derrière moi en silence et, quand il fut tout près, il émit ce bruit que les enfants associent aux fantômes, une sorte de gazouillis en crescendo, un hurlement de sirène.

« Oh ! tais-toi ! m'écriai-je. Tu te figures que je ne t'ai pas entendu. Tu fais plus de bruit qu'un troupeau d'éléphants. »

Il ne se montra nullement décontenancé. Il n'était jamais décontenancé.

« Tu connais la plus courte des histoires de fantômes ? C'est un homme qui cherche des allumettes dans le noir, et avant même qu'il ait pu les prendre, il s'aperçoit qu'on lui a mis la boîte dans la main. »

Je l'écartai et montai au deuxième étage. Pas le moindre signe de Piers et Rosario. Je revis le cyprès double, son ombre, et la nausée me prit. Ils étaient peut-être encore en train de faire ça, quelque part, serrés l'un contre l'autre, les yeux dans les yeux. Immobile sur le dernier palier, j'entendis une voix qui me disait ce qu'elle m'a dit si souvent depuis, à chaque fois qu'il s'agit de mes relations avec les autres : «Ne pense pas à eux, oublie-les, reste toute seule, tu cours bien moins de danger toute seule.» Mais mon frère...? Avec mon frère, c'était différent.

Là-haut, les pièces étaient plus petites, plus basses de plafond, et il faisait encore plus chaud. Si bizarre que cela paraisse, ces mansardes ressemblaient à des caves. Elles étaient au sommet de la maison, sous le toit, mais on y ressentait la même impression de claustrophobie qu'on a dans un sous-sol et on aurait dit qu'une énorme masse de briques, de ciment et de tuiles pesait dessus.

Pour décrire ce qui m'arriva ensuite, je me sens un peu embarrassée. Non que j'aie jamais douté de la réalité de cette aventure ni que le temps ait estompé mon souvenir, mais parce que personne ne me croit, bien entendu. Ceux à qui j'en ai parlé — ils ne sont pas nombreux — pensent que j'avais peur, que je m'attendais à des choses horribles, et que mon imagination a fait le reste. Mais justement, je n'avais pas peur. J'avais si peu peur que lorsque Will avait voulu me surprendre, je n'avais même pas sursauté. Je ne m'attendais à rien du tout. J'étais habitée par la terreur, mais c'était une autre terreur, celle d'être rejetée, de rester seule, la terreur que les autres découvrent les secrets de la vie pendant que je croupirais dans mon ignorance. C'était la terreur de perdre Piers.

Toutes les portes de la maison étaient ouvertes. En pareil cas, quand l'on tombe sur une porte close, on a automatiquement envie de l'ouvrir, par simple curiosité, même si l'on est très préoccupé. La porte fermée était au bout du couloir, à gauche. Je m'y dirigeai, dans une atmosphère si confinée et si palpable qu'il fallait presque l'écarter des deux mains, tournai la poignée et entrai. Je me retrouvai dans une petite pièce oblongue dont le mur de gauche portait lui aussi un miroir, mais qui, celui-là, n'était ni grand, ni entouré d'un cadre doré, ni couvert de chiures de mouches ; il ressemblait plutôt à une fenêtre, avec un châssis de bois ordinaire et une sorte d'étagère, à la base. Je voyais bien que c'était une glace mais j'évitai de m'y regarder. Une voix intérieure m'en empêchait.

Il faisait sombre. Enfin, pas vraiment sombre, mais davantage que dans les autres pièces. Les volets étaient clos. J'avançai de quelques pas dans la chaude obscurité et la porte se referma derrière moi. J'ai compris après coup qu'il n'y avait là rien de surnaturel ni même d'étrange. Si elle était fermée, contrairement à toutes les autres, c'était probablement parce qu'il s'agissait d'une de ces portes qui ne restent ouvertes qu'à condition d'être maintenues par un arrêt. Je n'y avais pas pensé alors. Je ne raisonnais pas de façon logique ou pratique, car la panique commençait à me gagner. J'aurais eu moins peur si j'avais pu faire entrer la lumière, mais les volets étaient placés à l'extérieur de la fenêtre. J'ai dit que ce dernier étage était pareil à une cave. J'avais maintenant l'impression d'être dans un tombeau.

Quelque chose me retenait là, aussi sûrement qu'une chaîne. C'était comme si on m'avait ligotée pour pouvoir m'enlever ensuite. Et je me rendais compte que derrière moi, ou plutôt sur ma gauche, il y avait ce miroir dans lequel je ne devais pas me regarder. Quoi qu'il arrivât, il ne fallait pas que je regarde dedans et pourtant, malgré moi, j'en éprouvais un violent désir. J'en mourais d'envie.

Combien de temps restai-je là, haletante, dans ce silence torride et intemporel ? Pas plus d'une minute ou deux, probablement. Je n'étais pas vraiment immobile, car je me surpris à pivoter très progressivement, ainsi qu'une toupie qui ralentit avant de s'incliner et de retomber sur le côté. A cause du miroir, je fermai les yeux. Je l'ai déjà dit, il régnait un silence des plus profonds, mais soudain il se brisa. Venant de quelque part ou peut-être du dedans de moi, j'entendis la voix de mon frère. J'entendis Piers qui demandait :

« Où est Petra ? »

Quand, ensuite, je l'interrogeai, il nia m'avoir appelée. Il était certain de ne pas l'avoir fait. Avais-je imaginé sa voix, de même que j'aurais imaginé ce que je vis ensuite ? J'avais entendu très nettement sa voix qui m'appelait. Une voix calme, mais un peu préoccupée, légèrement inquiète.

« Où est Petra ? »

Les chaînes invisibles se dénouèrent. Mes yeux s'ouvrirent sur le vide de la pièce chaude et poussiéreuse. Je me retournai d'un bloc, une main tendue en direction de la porte. Par conséquent, je me retrouvai face au miroir et je vis, non pas mon image, mais ce qu'il y avait de l'autre côté.

N'oubliez pas qu'il faisait sombre. J'avais devant moi une sorte d'obscurité aqueuse, dans laquelle la pièce se réfléchissait, mais avec des modifications : je voyais deux fenêtres là où il n'y en avait aucune et, au lieu de mon image, la silhouette d'un homme plaqué contre le mur, tout au fond. Je le regardai fixement, je regardai la forme ou l'ombre un peu floue d'un individu barbu et dépenaillé, enveloppé dans une grisaille brumeuse, suspendue entre lui et moi. Cette face hirsute ne m'était pas inconnue — ou peut-être m'était-elle apparue dans un cauchemar. Il me regarda à son tour, avec une expression furibonde et malveillante. Nous nous dévisagions et, le voyant s'avancer vers moi, je craignis un instant qu'il ne traverse la glace et ne m'attaque. Mais tandis que je reculais, les bras levés, il ouvrit la porte, ou plutôt son reflet, et disparut.

Alors je poussai un cri. De mon côté du miroir, personne n'avait ouvert la porte. Elle était toujours fermée. Je la poussai, sortis de la pièce et restai là, le dos appuyé contre le chambranle. Il n'y avait personne dans le couloir principal, ni dans celui qui partait sur la droite. Je m'enfuis en courant, en me répétant de ne pas regarder derrière moi, mais arrivée à l'escalier je ralentis le pas. Je descendis en respirant à fond, arrivai sur le palier inférieur et m'engageai dans la dernière volée. Là, je rencontrai Piers qui montait.

Je brûlais d'envie de me jeter dans ses bras. Pourtant je m'immobilisai sur une marche, au-dessus de lui, et lui demandai:

«Tu m'as appelée?

— Non. Quand ça? Là, tout de suite?

— Il y a une minute.»

Il secoua la tête.

«Tu as l'air d'avoir vu un fantôme.

— Ah bon?»

Pourquoi ne lui ai-je rien dit? Pourquoi me suis-je tue? Je me suis posé cette question bien des fois. Je me suis demandé pourquoi la voix intérieure qui m'avait mise en garde ne m'avait pas enjoint de tout lui raconter, ce qui l'aurait peut-être sauvé. Je craignais le ridicule, sans aucun doute, car déjà, à l'époque, je ne croyais à l'indulgence de personne, même la sienne.

72

«Je suis entrée dans une pièce, dis-je. Et la porte s'est refermée sur moi. Je crois que j'ai eu un peu peur. Où sont les autres?

— Will a trouvé la chambre hantée. Enfin, il dit que c'est la chambre hantée. Il prétend qu'il ne pouvait plus ressortir.»

C'était bien Will! Même si j'avais pu me contraindre à raconter ce qui m'était arrivé, ce serait inutile, désormais. Mon regard croisa celui de Piers qui m'adressa un sourire rassurant. Jamais depuis je n'ai eu autant envie de prendre la main de quelqu'un et de la garder dans la mienne. Mais je fus seulement capable de saisir ma main droite avec ma gauche, et, ainsi, de tout refouler en moi.

Quand nous nous fûmes tous retrouvés, nous quittâmes la maison. Will recloua la toile sur la fenêtre fracturée et nous prîmes le chemin du retour, en pleine chaleur. Intrigués par mon silence inhabituel, mes compagnons me posèrent des questions. C'était l'occasion de tout leur dire, mais ce n'était plus possible. Will m'avait coupé l'herbe sous le pied. Mais, curieusement, ma mésaventure dans la pièce aux volets clos avait eu une conséquence bénéfique. Ma jalousie, ma rancœur, le sentiment d'insécurité, ainsi qu'on le dirait aujourd'hui, que j'éprouvais à l'égard de Piers et de Rosario, s'étaient dissipés. Une angoisse avait chassé l'autre.

Pour rien au monde je ne serais retournée à la *Casita*. En retraversant la colline, parmi les genévriers piquants, les genêts jaunes, les sauges et les arbousiers aux feuilles vertes, j'avais froid malgré le soleil éclatant et je regardais droit devant moi, de peur de regarder en arrière. Je ne me retournai pas une seule fois. Un peu plus tard, contemplant le paysage de la fenêtre de ma chambre, je me retins de porter les yeux en direction de la *Casita* que, de toute manière, je n'aurais pu voir, et même de les poser sur la ligne des collines qui la cachaient.

Ce soir-là, Piers et Rosario sortirent seuls tous les deux, pour la première fois. Ils n'avaient aucune intention malhonnête, j'en suis sûre, mais mes parents croyaient qu'ils étaient allés à Muro, avec Will, sa mère et moi, voir des danses folkloriques. On nous avait dit qu'il y aurait des *ximbombes* et nous voulions les écouter. Piers et Rosario s'intéressaient, eux aussi, à ces tambours majorquins, mais ils ne nous avaient pas accompagnés. De son côté, Will pensait qu'ils étaient partis avec mes parents, pour visiter le théâtre romain que l'on venait de mettre au jour à Puerto de Belver, bien qu'à cette heure il fît trop sombre pour voir quoi que ce fût.

A notre retour, ils étaient déjà à la maison, installés sur la véranda. La lune brillait de tout son éclat, les grillons s'en donnaient à cœur joie, l'air était tiède, doux et parfumé. Depuis mon aventure de la matinée, je n'avais pas été seule une minute et maintenant, ensevelie sous la moustiquaire, avec le clair de lune qui dessinait d'étranges motifs sur le mur, je n'avais pas davantage envie de l'être. Mais à peine étais-je rentrée que Rosario se leva et monta se coucher. Nous n'échangeâmes que quelques paroles ; nous n'avions plus rien à nous dire.

Le lendemain soir, ils sortirent de nouveau ensemble.

« Où allez-vous ? demanda mon père à Piers.

— Nous promener. »

J'étais sûre qu'il dirait : « Emmenez Petra », mais non. Son regard croisa celui de ma mère. Vraiment ? Est-il réellement possible que je m'en souvienne? Oui, je suis certaine que leurs yeux avaient dû se rencontrer et que leur visage s'était éclairé d'un sourire indulgent.

La lune brillait. Je montai et me mis à la fenêtre de la chambre de mes parents. Le village était comme un chapelet de lumière posé sur le rivage, un collier dans lequel quelques perles manquaient çà et là. La lune ne pénétrait pas les intervalles d'obscurité. Une pellicule phosphorescente recouvrait la mer calme. On ne voyait pas âme qui vive. Piers et Rosario avaient dû partir parderrière, du côté de la campagne. Soudain, je pensai : « Et si je me retournais et que là, dans un coin de la chambre, au milieu de la pénombre, l'homme surgissait? »

C'est ce que je fis aussitôt, mais bien entendu il n'y avait personne. Je descendis et, pour passer le temps, je proposai à mes parents de jouer à la bataille. Piers et Rosario revinrent à neuf heures. Le lendemain, nous allâmes à la plage et Will, pour qui tous les jours était le 1er avril, sema la consternation parmi nous en annonçant une seconde invasion de méduses. Il les avait vues se déplacer dans notre direction, depuis la jetée de l'hôtel.

Cette nouvelle fut vite démentie. Will fut pardonné parce que c'était son avant-dernier jour à Llosar. Il ne cessait de parler de ce qu'il appelait son expérience dans la « pièce hantée » de la *Casita* et prétendait s'être battu avec des esprits qui voulaient l'entraîner de l'autre côté du mur. Je ne disais rien, il m'était impossible de parler de ça. Quand vint l'heure de la sieste, j'allai m'allonger et je dus m'endormir, car Rosario, qui s'était couchée sur son lit, à côté du mien, n'était plus là quand je sortis de ma torpeur, et je ne l'avais pas entendue se lever.

Quand je descendis, je m'aperçus qu'elle était partie, ainsi que mon frère. Will et nos parents respectifs se préparaient pour aller visiter les jardins d'une villa mau-resque, avec une voiture de location.

«Piers et Rosario ne viennent pas avec nous», dit maman, qui n'avait pas l'air très contente et qui pensait peut-être que la politesse envers les Harvey exigeait davantage d'explications. «Ils ont trouvé un pêcheur qui va les emmener dans son bateau. Ils vous prient de les excuser.»

Je ne sais si cette histoire de pêcheur était vraie ou non. Je soupçonne ma mère de l'avoir inventée. Elle ne pou-vait tout de même pas dire — du moins à cette époque : «Mon fils a envie d'être seul avec sa petite amie.» Peut-être y avait-il bien un pêcheur et un bateau, et sans doute cet homme fut-il interrogé le moment venu. Je suppose qu'on questionna tous ceux qui avaient rencontré Piers et Rosario ou qui leur avaient parlé, tous ceux qui auraient pu fournir une indication quelconque à leur sujet, car jamais plus on ne les revit.

6

En ce temps-là, les restaurants n'étaient pas nombreux, sur l'île. On ne pouvait manger que dans les grands hôtels ou dans de petites tavernes. En revenant des jardins mauresques, nous trouvâmes, dans un village qui s'appelait Petra, un établissement qui venait de s'ouvrir en raison de l'essor du tourisme. Ce fut évidemment l'occasion de maintes plaisanteries bienveillantes sur mon prénom, et le patron du *Restorán del Toro* nous réserva un accueil charmant.

Concepción avait été chargée de préparer à dîner pour Piers et Rosario. A notre retour, elle était déjà partie, mais eux n'étaient pas encore rentrés. Mes parents étaient fâchés. Je les sentais préoccupés ; ils se retenaient de parler devant moi, mais il leur échappa cependant une réflexion étrange, que je trouvai incompréhensible.

«A eux deux, ils ont à peine trente et un ans !»

Souvent, l'anxiété succède au mécontentement. C'est un phénomène courant. *Ils sont en retard, c'est inexcu-*

sable, où sont-ils, ils ne sont pas rentrés, il s'est passé quelque chose. Ce revirement se produisit vers vingt et une heures trente. On me questionna. Avais-je une idée de l'endroit où ils étaient allés? Est-ce qu'ils m'avaient dit quelque chose?

Nous n'avions pas le téléphone. Il y a quarante ans, dans ce pays, cela n'avait rien de surprenant. De toute manière, à quoi nous aurait-il servi? Mon père sortit et je le suivis. Il s'arrêtait fréquemment pour inspecter le rivage. C'est une chose qu'on fait quand on s'inquiète pour quelqu'un qui n'est pas rentré, qui est en retard, alors même que si on le voyait alors se hâter vers nous, notre anxiété ne serait écourtée que de quelques instants. Mais ils n'étaient nulle part. Il n'y avait personne. Les lumières brillaient aux maisons, ainsi que la guirlande d'ampoules colorées qui courait dans la vigne recouvrant le ponton de l'hôtel, mais on ne voyait pas âme qui vive. La lune décroissante illuminait une plage déserte que les vagues venaient doucement grignoter.

En dehors de Concepción, les seules personnes que nous connaissions bien à Llosar étaient les parents de Will et, au bout d'une heure, Piers et Rosario n'étant toujours pas rentrés, mon père déclara qu'il allait voir les Harvey. De plus, leur hôtel possédait un téléphone. L'idée de contacter la police ne nous semblait plus absurde. Cependant mon père faisait un louable effort pour paraître optimiste. En partant, il dit qu'il allait sûrement rencontrer Piers et Rosario en chemin.

Personne ne songea à m'envoyer me coucher. Mon père revint, sans les parents de Will qui téléphonaient à la police «pour plus de sûreté», mais avec Concepción chez qui il était passé. Bien qu'elle eût du mal à comprendre le dialecte majorquin, ma mère était la seule à pouvoir communiquer avec la domestique. Mais nous eûmes vite fait de deviner le sens de ses paroles, ainsi que cela se produit quand il s'agit de mauvaises nouvelles. Concepción n'avait vu ni mon frère ni Rosario ; ils n'étaient pas rentrés manger ce qu'elle leur avait préparé. Ils étaient partis depuis cinq heures de l'après-midi.

Cette nuit est restée gravée dans ma mémoire, chacune de ses heures ayant été marquée par un événement particulier. L'arrivée de la police, la battue effectuée sur la plage, le rassemblement dans le hall de l'hôtel, les coups de fil lancés à d'autres établissements, en particulier celui de Formentera, et l'incroyable inefficacité du réseau téléphonique. La lune commençait à peine à décroître, et il me sembla qu'elle brillait plus longtemps qu'à l'accoutumée, baignant le village et le rivage dans une blancheur pénétrante, un éclairage providentiel. Comme tout le monde, je dus m'assoupir un peu, mais c'est le souvenir d'une nuit blanche que j'ai gardé dans ma mémoire.

Dans la tiédeur du matin, les pires suppositions nocturnes cédèrent la place à des hypothèses en apparence plus réalistes. A minuit, ils étaient morts, noyés, mais à midi on qualifiait leur disparition de volontaire. Interrogée, je ne dis mot du cyprès aux troncs entrelacés, mais Will se montra moins réservé. Sa dernière journée dans l'île s'avérait également la plus excitante. Il avait vu Piers et Rosario s'embrasser, il les avait vus se tenir la main. Les yeux écarquillés, une grimace lui déformant la figure, il déclara qu'ils étaient « aaamoureux ». Il ne fallut pas le pousser beaucoup pour qu'il raconte notre expédition à la *Casita* et qu'il rapporte une réflexion de Piers, qu'il avait sûrement inventée, disant qu'il y retournerait pour y être seul avec Rosario.

On fouilla la *Casita*, sans y trouver le moindre indice

de leur passage. Aucun pêcheur de Llosar ne les avait emmenés dans son bateau, du moins ils nièrent tous l'avoir fait. La dernière personne à les avoir vus, à dix-sept heures, était le prêtre qui connaissait Rosario et qui lui avait dit quelques mots en les croisant. Tout cela nous conduisit à penser un moment que Rosario et mon frère avaient fait une fugue. L'inquiétude de mes parents s'apaisa provisoirement et leur indignation resurgit. Pendant un jour ou deux, ils ressentirent un grand courroux à l'égard de ce fils qui, jusque-là, ne leur avait pratiquement jamais donné de raison d'en éprouver. Lui qui avait toutes les qualités, il s'était conduit de façon inqualifiable.

Les Harvey retardèrent leur départ. A mon avis, Iris se délectait d'entendre ma mère lui répéter sans cesse qu'elle était un roc et qu'elle ne savait pas ce que nous aurions fait sans elle. On prévint José Carlos et Micaela. D'après ce que j'ai su — mais je ne savais pas grand-chose —, ils n'adressèrent pas le moindre reproche à mes parents. Et puis j'avais mon propre chagrin..., non, pas ça, pas encore. Ma stupéfaction, mon incrédulité, ma panique.

Piers n'avait pas emporté son passeport. Rosario n'en avait pas besoin, puisqu'elle était dans son pays. Ils n'avaient pas d'autres vêtements que ceux qu'ils portaient sur eux. Piers n'avait pas d'argent, mais Rosario en possédait un peu. Ils s'étaient peut-être embarqués pour l'Espagne. Avant que les recherches commencent, ils avaient eu largement le temps d'aller à Palma et de prendre un bateau pour Barcelone. Mais la police ne découvrit aucun indice montrant qu'ils étaient montés dans le car qui quittait Llosar à six heures de l'après-midi, ni d'ailleurs aucune preuve du contraire. En dehors de ce car, seule une voiture de location aurait pu les transporter. Personne ne les avait emmenés ni à Palma ni ailleurs.

Malheureusement, l'hypothèse de la fugue était difficilement défendable, psychologiquement parlant. Pourquoi Piers se serait-il enfui ? Il était heureux. Il se plaisait énormément dans son école où il n'avait plus qu'une année à faire avant d'entrer à Oxford. Quand la mère de Will remit sur le tapis sa théorie à la Roméo et Juliette, maman rétorqua :

« Mais nous ne l'aurions pas empêché de voir sa cousine. Nous l'aurions même invitée chez nous. Ils auraient pu se voir à toutes les vacances. Nous ne sommes pas si stricts avec nos enfants, Iris. Si vraiment ils s'aimaient à ce point, ils auraient pu se fiancer dans quelques années. Mais ils sont si jeunes ! »

A la fin de la semaine, la mer rejeta un cadavre sur la plage d'Alcudia. Celui d'un homme jeune, dont la poitrine portait une plaie faite par un couteau, et pendant quelques heures on crut que c'était Piers. Un peu plus tard, dans la journée, une femme de Murella identifia le corps et déclara qu'il s'agissait d'un Barcelonais qui était arrivé au début de l'été, une sorte de vagabond qui vivait sur la plage. Mais ce coup de couteau était un funeste présage. Il éveilla en nous tous d'horribles pensées.

On fouilla de nouveau la *Casita* et son jardin. Le bruit courait qu'un coin du terrain avait été retourné. Les gens commencèrent à se remémorer des drames lointains, un pacte de se suicider ensemble conclu dans un village reculé de l'arrière-pays, un assassinat à Palma, le naufrage d'un bateau de pêche, un mystérieux décès dans une chambre d'hôtel. Enfermés dans la villa, nous attendions, puis vint et passa le jour prévu pour notre départ. Nous attendions des nouvelles, mes parents, José Carlos,

Micaela et moi, et tous, sauf maman, nous redoutions le pire. Pas un instant ma mère ne faillit dans sa certitude que Piers était vivant et qu'il allait bientôt se mettre en rapport avec elle.

Au bout d'une semaine, les Harvey repartirent, mais ils ne disparurent pas de notre existence. Iris Harvey s'était liée avec ma mère d'une amitié qui ne prit fin qu'avec la mort de celle-ci, et c'est pourquoi j'ai continué à voir Will. Il ne m'avait jamais été très sympathique, je me souviens encore aujourd'hui du plaisir que lui avait causé la disparition de mon frère, sa joie et sa fébrilité déplacées quand les policiers étaient arrivés et l'avaient autorisé à participer à une battue. Mais il était là, il faisait partie de ma vie, et je ne pouvais pas m'en débarrasser. Je n'en ai jamais été capable.

Un jour, trois semaines environ après la disparition de Piers et Rosario, mon père nous dit :

«Je vais faire le nécessaire pour qu'on rentre à la maison vendredi.

— Piers doit penser que nous sommes ici, répliqua maman. Piers va nous écrire ici.

— Il connaît notre adresse, répliqua papa en lui prenant la main.

— Je ne reverrai jamais plus ma fille, dit Micaela. Nous ne les reverrons jamais. Vous le savez. Nous le savons tous, ils sont morts, c'est certain.»

Elle pleura pour la première fois, avec ces sanglots maladroits des adultes qui n'ont pas pleuré depuis longtemps, parce qu'ils n'ont connu que des années de bonheur.

Deux semaines après notre retour, mon père retourna à Majorque. Il s'était installé à Palma et nous écrivait tous les jours, étant donné qu'on ne pouvait pas compter sur le téléphone. Quand il ne hantait pas les bureaux de la police, il sillonnait l'île avec une voiture de location, en compagnie d'un interprète, et effectuait des enquêtes dans tous les villages. A l'heure du courrier, maman attendait toujours une lettre, pas une lettre de lui, mais de Piers. J'ai su depuis qu'il est fréquent qu'une mère dont le fils a disparu refuse de renoncer à tout espoir. C'est une chose courante, en temps de guerre, quand il n'existe pas de preuve absolue de la mort d'un combattant. Ma mère disait toujours que Piers était vivant, quelque part, et que des circonstances particulières l'empêchaient de revenir ou d'écrire. De quel genre de circonstances pouvait-il bien s'agir, elle ne le précisait jamais et il était inutile de discuter avec elle.

Plus curieux encore, mon père qui, au début, avait paru se résigner à la mort de son fils, finit par se rallier plus ou moins à sa théorie. Il disait en tout cas qu'il ne fallait pas parler de Piers comme s'il n'était plus, que c'était mal d'abandonner espoir et recherches. C'est pourquoi, pendant les années qui suivirent, il se rendit si souvent aux Baléares et en Espagne continentale, seul ou avec ma mère.

Malheureusement, malgré leur conviction que Piers allait revenir, ou du moins leur apparente conviction, mes parents persistaient à vouloir un autre enfant, sans doute pour compenser ce qu'ils avaient perdu. Au début, ma mère ne m'avait rien dit et je reçus un choc en l'entendant en parler avec Iris Harvey. J'avais quinze ans quand elle fit une première fausse couche, puis une seconde, la même année. Peu de temps après, elle commença à me confier en vrac ses espoirs et ses craintes. Je ne pouvais pas savoir alors que les tentatives de mes parents étaient condamnées à l'échec, mais je devais sentir, de façon obscure, qu'un désir aussi intense ne pouvait aboutir. Les lois du destin qui nous gouverne ne le permettraient pas.

«Je ne devrais pas te dire ça», ajoutait-elle — à juste raison, peut-être, mais elle me le disait quand même. «Il paraît que le fait de vouloir à tout prix un enfant empêche d'en avoir. Plus on en désire un, plus les chances sont réduites.»

Ce raisonnement me semblait logique. Il était en accord avec ce que je savais de la vie.

« Hélas, on ne nous dit pas comment faire pour cesser de désirer ce qu'on désire », soupirait-elle.

Quand ils partaient pour l'Espagne, je restais en Angleterre. J'allais chez ma tante Sheila qui me répétait sans cesse que c'était bien dommage que mes parents ne se contentent pas de l'enfant qu'ils avaient. J'aurais été plus heureuse avec elle si elle ne m'avait pas demandé si souvent pourquoi mon père et ma mère ne m'emmenaient jamais avec eux.

«Je n'ai pas envie de retourner là-bas, disais-je. Je n'y retournerai jamais.»

7

D'avoir perdu son fils, mon père devint riche. La disparition de Piers fut la cause directe de sa réussite. Si mon frère était rentré à la maison, ce soir-là, nous aurions continué à être, comme par le passé, une famille ordinaire de petits-bourgeois habitant un modeste pavillon de banlieue, et dont le chef travaillait au service d'urbanisme municipal. Mais la disparition de mon frère nous apporta l'opulence, en même temps qu'elle contribua beaucoup à gâcher la côte méditerranéenne espagnole et l'île de Majorque.

Mon père se lança dans l'immobilier. Il monta une société avec José Carlos qui, étant déjà dans la partie, avait rassemblé les premiers fonds, puis, le tourisme se développant, ils commencèrent à construire. Ils édifièrent des hôtels : tours, gratte-ciel, machins en forme de boîtes à chaussures, en forme de fer à cheval, bâtisses copiées sur des ziggourats ou encore sur des palais de Piranese. Ils firent des appartements pour les estivants, des plazas, des centres commerciaux. Mon père était allé en Espagne pour retrouver son fils, il y resta par suite de la prodigieuse réussite de son entreprise.

Il se fit construire une villa sur la côte nord-ouest, à Puerto de Soller. Fidèle à ma résolution, je n'y allais jamais et, finalement, mon père m'acheta une maison à Hampstead. Mes parents passaient presque toute l'année à Puerto de Soller, s'acharnant toujours à vouloir agrandir leur famille, bien que ma mère eût déjà dans les quarante-cinq ans, et ils continuaient à mettre dans les journaux des annonces demandant à Piers de revenir, où qu'il fût. Ils en passaient dans le *Majorca Daily Bulletin*, aussi bien que dans la presse nationale espagnole et dans le *Times*. En revanche, José Carlos et Micaela s'étaient résignés, dès le début, à la mort de Rosario. Ma mère m'avait dit qu'ils ne parlaient jamais d'elle. Un jour que quelqu'un demandait à ma tante si elle avait des enfants, elle avait simplement répondu par la négative.

S'ils avaient trouvé des explications à la disparition de Piers et de Rosario, ils ne m'en firent jamais part. Je ne sus jamais, non plus, quel était le point de vue des officiers de la Garde nationale, personnages sévères à la parole sèche, portant un béret et un uniforme marron. J'avais mes hypothèses personnelles sur la question. Ils étaient partis en barque, ils s'étaient noyés tous les deux, et le pêcheur, paniqué, n'avait pas voulu avouer son rôle dans l'affaire. L'homme dont on avait retrouvé le cadavre les avait tués, avait caché leurs corps, puis s'était suicidé. Ainsi que le prétendaient mes parents, ils s'étaient bien enfuis par crainte de devoir se séparer momentanément, mais ils avaient péri dans un accident de la route, avant de pouvoir donner de leurs nouvelles.

«Dans ce cas, on l'aurait su, rétorquait Will. S'ils

s'étaient tués dans un accident, c'est pour le coup qu'on l'aurait su. »

Il était venu nous voir, avec sa mère, pendant les vacances d'été, époque où mes parents restaient en Angleterre. Le mystère de la disparition de mon frère était pour lui un sujet toujours passionnant. Il ne comprenait pas, car sans doute n'avait-il pas suffisamment de sensibilité pour le comprendre, que toutes ces spéculations me faisaient souffrir. Je me souviens encore du détachement avec lequel il s'exprimait. « Ils ont sûrement été flingués », était une de ses tournures favorites, et aussi : « Maintenant, on ne les retrouvera plus jamais, il ne doit plus rester d'eux que des ossements. »

Il échafaudait par ailleurs d'extravagantes théories. « Rosario avait beaucoup d'argent. Ils ont pu partir en Espagne, descendre dans un hôtel et voler deux passeports. Il leur était facile de dérober des papiers à d'autres clients. A mon avis, ils ont gagné leur vie en chantant et en dansant dans les cafés. Les Espagnols aiment bien ça. Ou bien elle s'est placée comme bonne ou a posé comme modèle. C'est un moyen de se faire beaucoup d'argent. On s'installe tout nu dans une pièce et les gens qui apprennent à devenir des artistes se mettent autour et vous dessinent. »

Il adorait toujours autant faire des farces. Pour l'empêcher de téléphoner à ma mère en prétendant être, avec l'accent approprié, un Français sachant où se trouvait Piers, je dus appeler Iris à la rescousse. Puis, pendant un bon moment, nous ne vîmes plus les Harvey à Londres, mais je crois qu'ils étaient allés en vacances à Puerto de Soller. La réapparition de Will dans ma vie fut précédée par une lettre de condoléances qu'il m'écrivit sept ans après la mort de ma mère.

Il insista beaucoup pour venir me rendre visite ou me sortir, et me fit alors la cour de curieuse façon. De mon père, il disait, avec son étonnante insensibilité :

« Je ne pense pas qu'il lui survivra longtemps. Ils étaient tellement unis. A moins qu'il ne se remarie. »

Mon père ne se remaria jamais et, selon la prédiction de Will, il mourut au bout de cinq ans. Will non plus ne se mariait pas et j'ai toujours pensé qu'il était homosexuel. Quant à moi, trois ans après la mort de ma mère, j'épousai un actionnaire britannique de la société internationale fondée par mon père et José Carlos. Roger — c'était son nom — qui était une fois et demie plus âgé que moi, était alors devenu presque millionnaire. Nous menions l'existence des gens riches qui n'ont pas grandchose à faire de leur temps, qui ne s'intéressent à rien de particulier et qui ne savent pratiquement pas comment dépenser leur argent.

Ce ne fut pas une union heureuse. Du moins, à ce que je crois, car je n'ai pas de point de comparaison. Nous nous inspirions mutuellement de l'ennui et nous avions peur des autres, mais nous nous épanchions rarement et passions le temps à aller et venir entre nos trois résidences, ainsi qu'à collectionner des meubles du XVIIe siècle. Outre quelques banalités, il y a une réflexion de Roger qui est restée particulièrement gravée dans ma mémoire.

« Je ne peux pas être un père pour toi, Petra. Ni un frère. »

A l'époque, mon père était déjà décédé et, conséquence directe de la mort de Piers, j'avais hérité de tous ses biens. Si mon frère avait vécu ou s'il y avait eu d'autres enfants, la situation aurait été différente. Un jour, j'avais dit à Roger :

« Je donnerais tout ce que j'ai pour que Piers revienne. »

A peine eus-je parlé que je fus effarée de m'être exprimée si librement, de m'être laissée aller à un tel débordement d'émotion. Ça me ressemblait si peu. Je rougis violemment et examinai craintivement la physionomie de Roger pensant y lire la consternation, mais il se contenta de hausser les épaules et de sortir de la pièce. Cet incident détériora encore nos rapports. A partir de ce jour, je ne pus m'empêcher de répéter à tout propos que ma vie aurait été complètement différente si mon frère avait vécu.

« Tu aurais été pauvre, rétorquait Roger. Tu ne m'aurais pas connu. D'ailleurs, ç'aurait sans doute mieux valu. »

Je ne répondais pas. C'était le genre de remarque que je me faisais souvent intérieurement et qui ne signifie rien sinon que celui ou celle qui la formule a une piètre idée de soi-même, et là-dessus personne, pas même Roger, ne pouvait me concurrencer.

« Si Piers avait vécu, mes parents ne m'auraient pas rejetée. Ils ne m'auraient pas fait sentir que la mort s'était trompée de cible et que si j'étais morte, moi, ils auraient été très contents avec l'enfant qui leur restait. Ils n'auraient pas cherché à en avoir d'autres.

— Des suppositions, dit Roger. Tu n'en sais rien.

— Avec Piers près de moi, j'aurais appris à me faire des amis.

— Il ne serait pas resté près de toi. Il serait parti. Un homme ne passe pas sa vie à s'occuper de sa sœur. »

Vingt ans après la disparition de Piers et de Rosario, un individu fut arrêté dans le midi de la France et accusé d'avoir assassiné deux touristes dans un camping, quelque part entre Bédarieux et Lodève. Pendant le procès, on souleva l'hypothèse qu'il avait pu commettre plusieurs meurtres en série et tuer, au cours des vingt années écoulées, une dizaine de personnes, dont un certain nombre en Espagne et une à Ibiza. Il avait les touristes en horreur. D'après les journaux anglais, il aurait éprouvé une violente xénophobie à l'égard d'une certaine catégorie de visiteurs étrangers.

Cette affaire me rappela le corps du jeune homme poignardé qui s'était échoué sur la plage d'Alcudia. Pourtant, je me refusais à admettre que je tenais peut-être là la clé de la disparition de Piers et de Rosario. De même que mes parents, ainsi que le prétendait Roger, je me raccrochais à l'espoir fantasmatique qu'ils étaient vivants, quelque part. Cette idée était nouvelle chez moi, elle m'était venue à la mort de mon père, comme si j'en avais hérité avec le reste de ses biens.

Et la maison hantée, la *Casita de Golondro*? Qu'en était-il de l'étrange aventure que j'y avais vécue? Je ne l'avais pas oubliée, j'en avais même parlé un jour à Roger, pour ne rencontrer de sa part qu'incompréhension et m'entendre dire que j'avais dû manger un plat espagnol indigeste. Peu avant sa mort, nous nous étions mis en quête d'une maison à acheter, les médecins lui ayant promis qu'il ne survivrait pas à l'hiver dans un climat froid. Roger haïssait l'«étranger», il fallait donc chercher en Angleterre, en Cornouailles ou dans les îles Anglo-normandes. En définitive, on n'acheta de maison nulle part, car il mourut en septembre, mais entre-temps j'en avais visité plusieurs, dont une dans le sud de la Cornouailles, près de Falmouth.

C'était une immense bâtisse victorienne, presque aussi grande que la *Casita*. Elle était construite dans un atroce style gothique, mais il y avait une vue superbe. Un agent immobilier m'y avait amenée et, en l'occurrence, je fus fort heureuse d'avoir sa compagnie. Je n'avais encore jamais rien vu de pareil, du moins le croyais-je, une pièce sans fenêtres. Une chose assez courante dans les maisons de cette époque, m'avait dit le jeune homme, en laissant entendre qu'il y avait là une faute sur le plan architectural. Cette pièce était au premier étage. Elle ne possédait pas d'ouverture, mais la chambre contiguë en avait une et, dans le mur qui les séparait, était ménagée une grande fenêtre, avec une imposte qui s'ouvrait. Par conséquent, si l'air était rare, la lumière pouvait pénétrer dans la pièce aveugle. L'agent immobilier m'expliqua que les gens de l'ère victorienne se méfiaient de l'air.

A la vue de cette fenêtre de séparation, vingt-huit années s'effacèrent d'un seul coup. J'avais de nouveau treize ans et j'étais dans la seule pièce sombre d'une maison hantée, face à un miroir. Soudain, tout s'éclairait : ce n'était pas un miroir. Il ne réfléchissait pas la chambre où je me trouvais, mais me permettait de voir celle qui était de l'autre côté, une pièce avec une porte et des fenêtres, ainsi que la personne qui était à l'intérieur. Un instant, me rappelant la porte qui s'était ouverte, pas une porte en réflexion, mais une vraie porte, je fis le rapprochement entre l'homme que j'avais vu, celui qui conduisait aussi la vieille Citroën, et l'assassin de Bédarieux. Mais c'était trop énorme, j'étais incapable de faire face à une chose si monstrueuse et si laide. Je frissonnai, un mur de ténèbres impénétrables s'éleva soudain devant moi, et le jeune homme me demanda si j'avais froid.

« C'est cette maison, dis-je. Jamais je ne pourrais acheter une pareille maison. »

Will était en séjour chez nous au moment de la mort de Roger, comme cela lui arrivait souvent. Bizarrement, quand il avait fait la connaissance de Roger, avant notre mariage, il avait réussi à se faire passer pour un amoureux éconduit, un admirateur dévoué qui sait qu'il n'y a pas d'espoir, mais qui ne peut s'en aller, tant sa passion est humble et désintéressée. Il lançait souvent des remarques telles que : « C'est peut-être le meilleur qui a gagné », ou « il y en a qui ont toutes les chances », remarques surprenantes de la part d'un homme qui jamais ne m'avait même pris la main ou dit une parole affectueuse. C'est ce que j'avais expliqué à Roger, mais il pensait que j'étais trop modeste. Comment expliquer autrement la fidélité de Will ? Quoi d'autre qu'un amour de très longue date pouvait le pousser à me téléphoner deux ou trois fois par semaine, à me bombarder de lettres, à quémander des invitations. Pauvre Roger, il avait fait fortune trop tard dans la vie pour comprendre que Will agissait uniquement par intérêt.

Roger mourut d'une crise cardiaque, alors qu'il était assis à sa table de travail, dans son bureau. C'est là que Will le trouva, tandis qu'il venait lui apporter servilement une tasse de thé sur un plateau, bien que nous ne manquions pas de domestiques. Il m'annonça la nouvelle avec, dans les yeux, la même lueur de jubilation qu'il avait eue en racontant à la police l'histoire de la petite maison hantée. Il avait une voix lugubre, mais son regard brillait de plaisir.

Trois mois plus tard, il me demanda de l'épouser. Sans hésiter une seconde, je refusai.

« Tu vas te sentir bien seule, maintenant.

— Je sais », répondis-je.

8

Pas une seule fois je n'avais sérieusement songé à unir mon sort à celui de Will. C'était toutefois autre chose de lui dire que je n'avais plus envie de le voir. Il m'inspirait de la répulsion, avec sa face rose, couleur de veau cru, qui jurait avec sa tignasse poil-de-carotte, et ses yeux bleu délavé, en forme d'œuf d'oiseau. Son cœur était aussi froid que le mien, mais il possédait en outre une dureté que je n'ai jamais eue. Tout en lui me déplaisait, son insensibilité, la satisfaction qu'il tirait à dire des choses cruelles. Malgré tout, c'était mon ami, mon seul ami. Un homme qui me sortait. Quand il laissait entendre, devant quelqu'un, que nous étions amants, je ne confirmais ni ne démentissais. Ça m'était égal. Il pleurait si souvent misère, depuis qu'il avait été licencié par sa société, que j'avais décidé de lui allouer une rente, ce qui, au lieu de le blesser dans son amour-propre, n'avait eu pour effet que de me l'attacher davantage.

Je ne lui faisais jamais aucune confidence, je ne lui

disais rien. Nos conversations étaient des plus banales. Quand il téléphonait — ce n'était jamais moi qui l'appelais —, nous échangions les platitudes habituelles, puis, ne sachant comment meubler le silence, je me voyais contrainte de lui poser cette question :

« Qu'est-ce que tu as fait depuis l'autre jour ? »

Quand je n'étais pas à Londres et que je séjournais dans ma propriété du Somerset ou dans le « castel », un pavillon de chasse fortifié que Roger avait acheté en Ecosse, sur un caprice, Will me téléphonait quand même, mais en P.C.V. Parfois, quand l'opérateur me demandait si j'acceptais de payer la communication, je disais non, mais Will — qui avait psychologiquement la peau dure, quelle que fût sa condition physique — revenait à la charge une demi-heure plus tard.

Il se passait rarement plus de trois jours sans qu'il m'appelle. Il me parlait de ses menus achats, car il adorait traîner dans les magasins, des ennuis que lui occasionnait sa voiture, de l'électricien qui lui avait fait faux bond, du rhume qu'il avait attrapé, mais jamais de ses idées sur l'amour, de ses rêves, de ses espérances, de sa peur de vieillir et de mourir ; il ne me parlait même pas de ce qu'il avait lu, entendu ou vu. Heureusement, car ça ne m'intéressait pas de connaître ses états d'âme et, moi non plus, je n'abordais pas ce genre de sujet. Nous étions de « grands amis » sans plus d'intimité entre nous que si nous avions été de simples relations.

La rente que je lui versais était convenable, sans plus, et il se plaignait sans cesse de l'état de ses finances. Si je devais citer un sujet qui revenait à coup sûr dans nos discussions, ce serait l'argent. Will grognait à cause du coût de la vie, la cherté des services et des transports, les impôts, pourtant modiques, qu'il payait sur sa retraite et sur ce que je lui donnais, le prix de la nourriture et des boissons, les frais d'entretien de sa maison. Bien qu'il ne fît aucun travail pour moi, il tenait à passer pour mon assistant, ayant refusé le statut de « secrétaire », comme indigne d'une personne de son rang et de ses compétences. Will savait fort bien qu'il n'avait aucun titre à recevoir une rétribution pour services rendus, mais ça ne l'empêchait pas de parler de son « salaire », pour se plaindre généralement de sa pitoyable modicité. Ayant un jour débarqué — sans prévenir — dans le Somerset pour passer quinze jours chez moi, il m'avait annoncé qu'il était grand temps qu'il bénéficie d'une voiture de fonction.

« Tu as déjà une voiture, lui dis-je.

— Oui. Une voiture de riche. »

Qu'est-ce que cela était censé vouloir dire ?

« Il faut être riche pour continuer à rouler dans un vieux tacot », m'expliqua-t-il, en riant à gorge déployée de son propre humour.

Les jours suivants, il revint à la charge. Qu'est-ce que j'allais faire de tout cet argent ? Pourquoi vouloir économiser, puisque je n'avais pas d'enfant ? A ma place, il se serait réjoui de pouvoir prodiguer du bonheur autour de lui, alors même qu'il n'en serait pas moins riche pour autant. Finalement, je lui offris ma voiture. C'était une auto merveilleuse, qui avait à peine deux ans et avait toujours été conduite par une de ces prudentes dames d'âge mûr que les assureurs aiment tant, mais elle n'était pas assez bien pour lui. Il finit cependant par accepter, en ronchonnant, et on se disputa. Je le mis à la porte et il repartit pour Londres avec ma voiture.

Voilà pourquoi je ne l'avais pas averti en recevant la lettre du notaire. Nous évoquions rarement nos problèmes personnels, mais je l'aurais mis au courant de cette nouvelle si nous avions été en meilleurs termes. Je ne pouvais en parler à personne d'autre et il était tout indiqué pour recevoir cette confidence. Mais, pour la première fois depuis tant d'années, nous avions rompu le contact. Il ne m'avait même pas téléphoné. Au moment de partir, ses dernières paroles avaient été pour me supplier, avec une mine de chien battu, de ne pas lui supprimer son allocation.

Cette lettre fut donc réservée à mes seuls yeux, et son contenu à mon seul cœur. Elle provenait d'une étude notariale de la City et elle était rédigée avec beaucoup de tact. Bien entendu, rien n'aurait pu atténuer le choc qu'elle me causa, mais j'appréciai la progression des enchaînements et les termes comme « prétendre », « suggérer », « supposer » et « possibilité ». Je trouvais de la douceur, presque de la tendresse, à m'entendre prier de me préparer et à ce qu'on me dise qu'à ce stade, je n'avais nul besoin de me presser pour prendre une décision.

Fébrile, j'allais et venais, la lettre à la main. Puis, au bout d'un moment, l'idée d'une mystification commença à germer dans mon esprit. Je me souvins que Will avait voulu téléphoner à ma mère pour lui transmettre un message d'espoir, en prenant l'accent français. Etait-ce encore lui ? Je ne l'appelai donc pas et téléphonai au notaire qui me confirma qu'un homme et une femme s'étaient présentés à son étude en prétendant être Mr. et Mrs. Piers Sunderton.

9

Je ne suis pas quelqu'un de crédule. Je suis prudente, désagréable, maussade et peu sociable. Déjà, longtemps avant de devenir riche, j'étais méfiante. Je ne faisais pas confiance aux gens et doutais de leurs intentions, car il ne m'était jamais rien arrivé qui pût me faire croire à une affection désintéressée. On ne m'avait jamais aimée, ce qui avait eu pour effet non pas de m'endurcir, mais de me conserver dans un état de rêverie amoureuse que je ne savais comment concrétiser. Tout au long de mes années de solitude, j'avais été hantée par l'idée effrayante que tous ceux qui semblaient rechercher ma compagnie en avaient après mon argent.

Dans ma maison de Londres, il y avait un bon nombre de photographies de Piers. Ma mère les avait chéries religieusement, mais pour ma part je ne les avais presque jamais regardées depuis sa mort. Je les pris, les étalai et les examinai : Piers bébé, dans les bras de maman, Piers enfant, écolier, avec moi, avec nos parents et moi.

Je me souvenais du teint de Rosario, de sa peau mate, de ses longs cheveux d'un châtain profond, de sa petite taille et de sa minceur, mais pas de sa physionomie. J'avais oublié ses traits, leur forme et leur disposition. D'elle, je n'avais aucune photo.

Dès le début, même si je doutais fort que ce couple fût mon frère et son épouse, j'avais eu la certitude que si Piers avait une femme, c'était forcément Rosario. Insensé? Absurde? Evidemment. Impossible de se défaire des convictions qui appartiennent au domaine des sentiments. Mais, tout en me préparant pour prendre le taxi qui devait me conduire à la City, je me disais que si c'était vraiment Piers que j'allais voir, la femme qui l'accompagnait ne pourrait être que Rosario.

J'avais peur. C'était la première fois que les choses allaient aussi loin. Les innombrables « rendez-vous » du début, à Rome, à Madrid, à Naples, à Londres, au Tyrol, à Malte, s'étaient soldés par quelques coups de fil désapprobateurs envoyés à mon père par la police locale. Plus tard, il y avait eu des imposteurs, des malheureux qui arrivaient chez moi, sans même s'être renseignés sur les faits les plus élémentaires de l'enfance de Piers, des blonds, des gros, des petits, des hommes trop jeunes ou trop âgés. Il y en avait eu une dizaine. Aucun d'eux n'avait dépassé le hall d'entrée. Mais cette fois j'avais peur, cette fois mon intuition me disait : « Il est revenu de chez les morts », et j'essayais de la faire taire, en invoquant la raison et la prudence, mais la voix recommençait à chuchoter avec encore plus d'insistance.

Ils allaient avoir changé au-delà de toute imagination. A quoi bon regarder des photos? En quoi des portraits d'un garçon de seize ans peuvent-ils aider à reconnaître un homme qui en a cinquante-six? J'attendis trois minutes dans l'antichambre. J'ai compté ces minutes. Non, j'ai compté les secondes qui les composaient. Quand l'employée revint me chercher, je tremblais.

Le notaire était installé derrière son bureau et, de chaque côté, sur une chaise, étaient assis un homme grand, mince et grisonnant et une petite femme rondelette, de type très hispanique, avec un visage lisse et bronzé, des cheveux noirs saupoudrés de blanc, sévèrement tirés en arrière. Ils me regardèrent tous les trois, et les deux hommes se levèrent. Je ne savais quoi dire, mais les larmes me montèrent aux yeux. Pas parce que je les reconnaissais, pas des larmes d'amour, de bonheur ni de douleur, mais de voir ce que le temps fait des beaux adolescents, comment il abîme leur corps, ravage leur visage et leur met de la poussière dans les cheveux.

« Petra », commença mon frère, avec cette voix dont je me souvins alors avec précision, tandis que dans un anglais fortement accentué ma belle-sœur me disait : « Pardonne-nous, s'il te plaît, nous regrettons tant. »

J'avais envie d'embrasser mon frère, mais je ne pouvais pas aller vers cet étranger et le serrer dans mes bras. J'avais la langue paralysée. Le notaire se mit alors à parler à notre place, mais je n'ai aucun souvenir de ses paroles, je ne l'écoutais pas. Il avait des papiers à me montrer, des « preuves », disait-il ; j'y jetai un coup d'œil, sans pouvoir distinguer les caractères. Si j'étais incapable de parler, j'étais capable de réfléchir. Je vais m'installer dans ma maison de campagne, pensai-je, et je les emmènerai avec moi.

Piers s'était lancé dans des explications. Il était question de Madrid et du midi de la France ; j'entendis les mots « honte » et « trop tard », qui sont, paraît-il, les plus tristes qui existent, et je finis par retrouver la voix pour dire :

«Je n'ai pas besoin de connaître tous ces détails, pour le moment, je comprends, vous me raconterez ça plus tard, bien plus tard.»

Embarrassé, le notaire marmonna quelque chose concernant «l'inévitable procédure légale».

«Quelle procédure légale? demandai-je.

— Quand Mr. Sunderton aura convaincu le tribunal de son identité, il aura naturellement droit de réclamer sa part de l'héritage de votre père.»

Je ne l'écoutais pas, car je n'avais aucun doute sur l'identité de Piers. Des preuves ne seraient pas nécessaires. Fatigué, usé, l'air d'un homme en mauvaise santé, Piers regardait par terre.

«Rosario et moi allons rentrer à l'hôtel, maintenant. Le mieux sera que Petra nous dise quand elle veut nous revoir.

— Le mieux sera que nous refassions connaissance, rétorquai-je. J'aimerais que vous veniez tous les deux à la campagne, avec moi.»

Nous partîmes nous installer dans ma maison des environs de Wincanton. Quand je dis «nous», je devrais plutôt dire Rosario et moi car, à peine arrivé, Piers dut être transporté d'urgence à l'hôpital. Il était souffrant depuis plusieurs semaines, une appendicite qui s'était compliquée en péritonite, et qu'on avait opérée juste à temps.

Nous allions le voir tous les jours. Assises à son chevet, nous bavardions, nous avions tant de choses à nous dire. J'étais fascinée, fascinée par ces deux êtres d'âge mûr qui, comme tout le monde, avaient été jeunes, mais semblaient être passés directement de l'adolescence à la cinquantaine, sans l'intermédiaire de la jeunesse et de la maturité. Une grande tendresse les unissait. Ils étaient parfaitement assortis. Rosario savait d'avance ce dont Piers avait envie, elle savait qu'il n'aimait que le raisin sans pépins, que malgré son goût pour la littérature il ne lirait que des journaux pendant son séjour à l'hôpital, et qu'il lui fallait des pantoufles en feutre et non en cuir, pour se rendre dans la salle de loisirs. Inutile de lui apporter des chocolats, il les avait en horreur.

« Il les aimait pourtant autrefois, avais-je rétorqué.

— Les gens changent, Petra.

— Dans bien des domaines, ils ne changent pas du tout. »

Je la questionnais. Passé la première vague de choc et d'euphorie, je n'avais pu m'empêcher de jouer au détective, de les mettre à l'épreuve, alors même que je savais parfaitement où était la vérité. Elle se tira fort bien de l'interrogatoire. Elle se rappelait mieux que moi encore notre séjour à Majorque. Par exemple, j'avais oublié — mais je m'en souvins quand elle en parla — la visite au monastère de Lluc et les voix charmantes des jeunes choristes. Je me rappelai aussi que nos parents avaient tenu à ce que nous allions à la *Mansion de Arte* de Palma, et que maman nous avait obligés à regarder des gravures de Goya que nous trouvions ennuyeuses.

José Carlos et Micaela étaient morts depuis plusieurs années. Je voyais bien qu'il lui était pénible de parler d'eux, qu'elle avait honte. C'était justement là que le bât blessait, là que surgissait la difficulté, à chaque fois que nous évoquions leur disparition. Pourquoi n'avaient-ils jamais donné de nouvelles ? Pourquoi nous avoir causé tant de chagrin en nous laissant croire qu'ils étaient morts ?

Rosario, et plus tard Piers, ne put me fournir d'autre motif que la honte. Ils auraient été incapables de regarder leurs parents en face et il valait mieux nous résigner tous à leur mort. En revanche, il lui fut beaucoup plus facile de m'expliquer pourquoi ils s'étaient enfuis.

« Nous savions quelle aurait été leur réaction si nous leur avions dit que nous nous aimions. Imagine un peu. Nous avions quinze et seize ans, Petra. Mais nous avons bien fait, tu ne trouves pas ? Tu vois que notre amour a duré, donc nous avons bien fait.

— Ils ne vous auraient pas crus, remarquai-je.

— Ils nous auraient séparés. Ils nous auraient peut-être permis de nous voir pendant les vacances. On ne s'en serait jamais remis, nous étions fous l'un de l'autre. Nous ne pouvions pas vivre sans nous voir à chaque minute. Ce n'est plus pareil aujourd'hui, bien sûr. Je ne meurs pas parce que Piers est à l'hôpital, alors que moi, je suis ici, tu le vois bien. Mais ce n'était pas seulement moi, Petra, Piers aussi. C'est lui qui a eu l'idée de... de partir.

— Il n'a pas pensé à ses études ? Il était si brillant, tous les espoirs lui étaient permis. Renoncer à tout ça pour... enfin, il ne pouvait tout de même pas être sûr que ça durerait.

— Il faut que je te dise une chose, Petra. Piers n'était pas aussi brillant que tu le crois. Juste avant votre départ, le proviseur du lycée avait convoqué ton père pour lui dire que Piers n'était pas à la hauteur des espérances qu'on avait placées en lui. Il ne serait pas admis à Oxford et il pourrait même s'estimer heureux de pouvoir entrer dans une université quelconque. Le secret a été bien gardé, on ne t'a rien dit, ni à ta mère non plus, mais Piers savait. Qu'est-ce qu'il avait à perdre en partant avec moi ?

— Eh bien, son confort, son foyer, la sécurité, ses parents et moi.

— Il a dit — pardonne-moi — que je compensais la perte de toutes ces choses. »

Rosario était adorable avec moi. Rien ne semblait lui coûter. Moi qui avais vécu si longtemps seule que ma langue s'était enkylosée et que j'étais devenue sauvage, j'étais emportée par son charme et sa gaieté. C'était la première fois que quelqu'un me proposait, dès le matin, des idées sur la façon de passer la journée, même si ce n'était que pour me dire de rester couchée en attendant de prendre mon petit déjeuner au lit, d'aller ensuite nous promener au jardin puis d'y faire un pique-nique, à midi. Quand le silence s'imposait, elle se taisait et, lorsque j'avais envie de parler, mais ne savais par où commencer, elle le faisait à ma place, ce qui déclenchait de passionnantes conversations grâce auxquelles nous nous découvrions une multitude de goûts communs. Très vite, une véritable camaraderie s'établit entre nous et, quand Piers rentra de l'hôpital, nous étions devenues des amies.

Je tenais à ce que nous soyons tous réunis pour parler de ce qui s'était passé le jour de leur disparition. A chaque fois que Rosario tentait d'aborder le sujet, je la faisais taire et la questionnais plutôt sur l'existence qu'ils avaient menée après avoir débarqué sur le continent espagnol. Il leur était en effet arrivé de multiples aventures, certaines affreuses et d'autres cocasses. Rosario avait des dons de conteuse et, à la lumière du feu, c'était un plaisir de l'écouter. Parfois ses histoires étaient dignes d'un roman picaresque, fertile en péripéties, en anecdotes, en personnages bizarres, en dangers esquivés *in extremis*, toutes choses qui n'étaient peut-être pas forcément authentiques. Soit Piers avait changé très vite, soit elle l'avait changé.

Comme ils parlaient anglais, on les avait embauchés dans des hôtels. Rosario avait même été femme de chambre. Ensuite, ils avaient travaillé comme guides et, pendant un temps, selon un scénario qui ressemblait singulièrement à l'un de ceux que Will avait imaginés, ils avaient chanté dans les cafés, sur un accompagnement de guitare hâtivement improvisé par Piers. Un jour, alors qu'ils étaient domestiques dans un hôtel — à Madrid, cette fois —, ils avaient dérobé à des clients des passeports qui leur avaient permis de quitter l'Espagne pour aller dans le midi de la France. Ils avaient adopté les noms des titulaires de ces papiers et ce fut sous cette identité qu'ils s'étaient mariés, à Nice, alors que Piers avait dix-huit ans et Rosario dix-sept.

« Nous avons eu un petit garçon, me dit-elle. Mais il est mort d'un méningite à trois ans et nous n'avons pas eu d'autres enfants. »

Pensant à ma mère, je pris Rosario dans mes bras. Moi qui ai toujours été si froide, je n'ai aucune difficulté à lui montrer mes sentiments. Moi qui me suis toujours tant méfiée des émotions, je parviens, avec elle, à leur laisser libre cours, et c'est pareil avec mon frère. Quand il est rentré à la maison, complètement rétabli, avec sur le visage des traces du Piers de mon enfance, je suis allée vers lui, tout naturellement, je lui ai pris la main et j'ai déposé un baiser sur sa joue. Souvent, invitée à séjourner chez des amis, j'avais noté cette charmante habitude qui consiste à s'embrasser, le soir, avant que chacun regagne sa chambre. Pour une raison quelconque, mon apparente froideur sans doute, je n'avais jamais eu droit à ces marques d'affection. Et, ô surprise, voilà que c'était moi qui prenais l'initiative et les embrassais, au moment de leur souhaiter bonne nuit, puis en les retrouvant le matin.

Un soir, assez tard, je leur demandai de me parler de ce fameux jour, ce jour qui s'était achevé dans l'angoisse, par un clair de lune éclatant et vide. Détournant de moi leurs yeux, ils échangèrent un regard plein de tristesse. Ce fut Rosario qui commença.

Il était exact qu'ils s'étaient retrouvés plusieurs fois dans la petite maison hantée. Là, ils ne craignaient pas d'être dérangés et c'est là qu'ils avaient organisé leur fugue. Je leur parlai de l'homme que j'y avais vu, car j'étais désormais certaine que c'était bien un homme qui m'était apparu de l'autre côté de la glace et non le reflet d'un spectre dans un miroir, mais cela ne leur disait rien. A la *Casita*, ils jouissaient d'une solitude absolue. Ils avaient choisi ce jour parce que nous étions tous partis visiter les jardins mauresques, mais sinon ils ne s'étaient entourés d'aucune précaution spéciale, si ce n'est de monter dans l'autocar un peu en dehors du village. Comme nous le savions, Rosario avait de l'argent. Suffisamment pour prendre le bateau de Palma à Barcelone.

« Si on les avait prévenus ou si on avait laissé un mot, ils nous auraient retrouvés et ramenés », conclut simplement Rosario.

Elle avait au cou une chaîne d'or avec un camée dont ils pouvaient tirer de l'argent, ainsi qu'une bague en or à son doigt.

« La bague avec les deux petites turquoises, dis-je.

— Oui, celle-là même. Ma grand-mère me l'avait donnée quand j'étais petite. »

Ils avaient vendu tous les objets de valeur qu'ils possédaient. La montre de Piers, son stylo et son appareil photo. La bague leur avait évité de mourir de faim, un jour qu'ils ne trouvaient pas de travail. Puis ils avaient fait fortune, car Piers, à l'instar de mon père, avait misé sur le tourisme et s'était associé avec un homme rencontré dans un café de Marseille. Pendant des années, ils avaient tenu un hôtel.

Il ne me restait plus qu'une seule question à leur poser. Pourquoi étaient-ils finalement revenus?

Ils avaient vendu l'hôtel. Par la rubrique nécrologique d'un journal espagnol qu'ils achetaient parfois, ils avaient appris la mort de Micaela, la dernière de nos parents. Apparemment, la honte qu'ils éprouvaient à mon égard était moins vive. C'était compréhensible, je n'étais qu'une sœur. Je crois maintenant avoir tout compris. Aujourd'hui, quand je les regarde, avec un respect qui grandit chaque jour, je me demande comment j'ai pu douter de leur identité, comment j'ai pu les voir si vieillis, si irrémédiablement changés.

L'heure était venue de mettre Will au courant. Nous nous étions réconciliés. C'était moi qui avais fait les avances et je lui avais téléphoné pour la première fois de ma vie. Parce que j'étais heureuse et que le bonheur rend gentil. Depuis que Piers et Rosario s'étaient installés chez moi, il avait continué à m'appeler, comme d'habitude, et je lui avais donné rendez-vous en ville une fois ou deux, mais je ne lui avais parlé de rien. Je l'invitai donc à venir passer quelques jours à la maison, mais sans l'avertir de quoi que ce fût.

Piers et Rosario étaient pour moi un frère et une belle-sœur tendrement aimés dont le visage m'était déjà indiciblement cher, mais je savais que Will ne les reconnaîtrait pas. Je n'avais pas l'intention de leur imposer un test, je n'en avais nul besoin, mais l'idée de les mettre face à face, sans aucune préparation, m'amusait. Il était cependant indispensable de recourir à un petit artifice et, ayant obtenu de Piers et Rosario un accord un peu réticent, je les présentai à Will comme étant «mes amis Mr. et Mrs. Page».

Pendant quelques instants, je crus qu'il allait accepter

cela sans broncher. Je l'observais et remarquai que ses mains tremblaient. Ne pouvant contenir plus longtemps ses doutes, il éclata :

« C'est Piers et Rosario, je sais que c'est eux ! »

Les années n'avaient pu les lui déguiser, pourtant, ils m'avouèrent chacun séparément par la suite qu'ils ne l'auraient pas reconnu si je ne les avais pas prévenus. On ne retrouvait rien du petit rouquin qui avait une peau en moins que les autres, dans ce gros monsieur chauve à la figure rougeaude.

Leur arrivait-il souvent de penser à ce qu'avait dit le notaire au sujet de la procédure légale ? Je l'ignore. Pour ma part, quand ce détail me revint pour la seconde fois à l'esprit, je décidai d'en parler franchement. Un procès était hors de question ; nous étions déjà trop liés. J'annonçai à Piers que j'allais partager en deux tout ce que je possédais, une moitié pour eux et l'autre pour moi. Stupéfaits, ils refusèrent, bien entendu, mais je finis par les convaincre. Le plus difficile fut de leur dire que je désirais que mes biens immobiliers eux-mêmes soient divisés en deux, au sens propre, ma maison de Londres, la propriété du Somerset et mon appartement de New York, littéralement scindés dans le milieu. Jusque-là, personne n'avait recherché ma compagnie et je craignais qu'ils ne me soupçonnent de vouloir acheter leur présence ou de profiter du pouvoir que me conférait ma position. Mais Rosario dit simplement :

« Pas trop rigoureusement par le milieu, Petra, j'espère. Ce serait plus sympathique de partager. »

Je me contentai de modifier mon testament en stipulant que je léguais tout ce que je possédais à ma filleule et cousine, la fille de tante Sheila, et Piers tomba immédiatement d'accord, car de son côté il avait l'intention de laisser ses biens à la fille de son ancien associé.

Voilà comment nous avons vécu depuis. Il y a plus d'un an que cela dure. Je n'ai jamais été aussi heureuse. En général, il n'est pas facile de partager l'existence de deux personnes mariées. Ou bien elles sont tellement unies qu'on a l'impression d'être de trop, ou alors la femme vous considère comme une alliée contre son époux. Si l'on est jeune, il y a le risque de devenir plus intime qu'on ne le devrait, avec le mari. Avec Piers et Rosario, c'est différent. Je pense sincèrement qu'ils se plaisent en ma compagnie autant qu'ils se plaisent à être tous deux ensemble. En l'espace de ces quelques mois, ils ont appris à m'aimer et moi, qui n'avais jamais aimé personne depuis la disparition de Piers, je leur rends leur affection. Ils m'ont prouvé qu'il est possible de devenir bon et généreux, d'apprendre à rire et à s'amuser, après être resté toute sa vie sur son quant-à-soi. Ils ont déverrouillé quelque chose en moi et libéré une gaieté qui devait se trouver là depuis toujours mais qui s'était étiolée à force d'être restée enchaînée pendant de longues années, dans un recoin obscur.

Voici maintenant deux semaines que la police de Majorque m'a écrit pour me mettre au courant de la trouvaille faite par des archéologues. Je leur rendrais service — sans parler de ma satisfaction personnelle — en venant à Majorque pour tenter d'identifier, non pas des restes, c'est bien trop tard, mais un certain nombre d'objets retrouvés dans les grottes.

Nous étions dans le Somerset et Will était chez moi, une fois de plus. Jusqu'à présent, je m'étais refusée à retourner dans l'île, mais désormais c'était différent. Quoi que j'y découvrisse, plus rien ne pouvait me faire souffrir. Du moment que Piers et Rosario étaient avec moi, rien ne pouvait me causer de peine, comme si j'étais protégée par la coquille réconfortante de leur affection.

« Dans ce cas, dit Will. A quoi bon y aller ? Tu connais la vérité. Ces restes de vêtements, de bijoux ou je ne sais trop quoi, ne peuvent avoir appartenu à Piers et Rosario, puisqu'ils ont vendu les leurs, alors pourquoi essayer d'identifier ce qu'il te sera impossible de reconnaître de toute manière ?

— Je veux revoir l'endroit. Je veux voir s'il a vraiment changé. Cette affaire avec la police, ce n'est qu'un prétexte pour retourner là-bas.

— Je suppose qu'il y aura aussi des ossements, et même peut-être plus, après si longtemps, remarqua Will qui avait toujours eu le goût du macabre. Est-ce que la police t'a dit comment tout ça a pu tomber dans les grottes ?

— Par une sorte de trou dans le haut, croit-on, une fente dans le sommet de la falaise, qui était obstruée par une pierre.

— Qu'est-ce que tu ressens à l'idée de retourner là-bas, Piers ? demanda Rosario.

— Je ne pourrai le dire qu'une fois que j'y serai. Mais si Petra y va, nous irons aussi. N'est-ce pas ainsi qu'il en sera toujours désormais ? »

10

Ce matin, quand je me suis réveillée, je n'ai pas eu la sensation d'avoir rendez-vous avec le destin. Je n'éprouvais ni crainte ni espoir, rien que de l'indifférence. J'avais simplement une corvée, un «devoir civique», à accomplir, afin de contenter les autorités. Malgré tout, l'atmosphère de ma chambre m'a paru étouffante, en dépit des fenêtres grandes ouvertes, du balcon et de la vue sur la mer, et j'ai annulé le petit déjeuner qu'on devait me monter, pour aller le prendre en bas.

A ma surprise, je les ai trouvés tous les trois dans la salle à manger en terrasse. Il était tôt et il ne faisait pas encore assez chaud pour rester dehors. Ils ne m'ont pas entendue arriver et je les ai surpris en grand conciliabule. J'ai d'abord été tentée de m'approcher sans bruit et de poser sur l'épaule de Rosario une main légère et tendre, mais je savais que cela la ferait sursauter. Aussi ai-je lancé un «bonjour» qui a paru détendu, pour la bonne raison qu'il l'était effectivement.

Ils ont tourné vers moi un visage préoccupé, mais cette anxiété a aussitôt laissé la place à un sourire résolu, de la part de mon frère et de sa femme, et à un air méfiant chez Will. A ce qu'il paraissait, ils étaient inquiets à mon sujet. Le contrecoup que «l'épreuve» — c'était leur mot — qui m'attendait allait avoir sur moi, était l'objet de leur discussion. Ils craignaient de me voir affrontée à un horrible spectacle, à une vision de charnier. Il serait préférable que l'un d'eux m'accompagne, ou même qu'ils viennent tous les trois. Ils semblaient penser que j'avais eu une existence protégée et, comparée à la leur, c'était sans doute vrai.

«Je ne descendrai pas dans les grottes, leur ai-je dit, en commandant mon petit déjeuner. On va m'emmener dans un bureau impersonnel, où j'imagine que les objets seront étalés et étiquetés, comme dans un musée.

— Mais tu seras seule.

— Pas vraiment. Je saurai que vous n'êtes pas loin et que vous m'attendez.»

Sur la table, il n'y avait que des tasses à café. Ils n'avaient rien mangé. Mes petits pains sont arrivés, avec du beurre, de la confiture, des fruits et un jus d'orange. Je me suis brusquement senti une faim de loup.

«Voyons un peu, ai-je dit. Que ferons-nous à mon retour? On pourrait prendre le bateau pour aller déjeuner à Formentera ou partir à Lluc en voiture. Ce soir, n'oubliez pas que nous dînons au Parador de Golondro. Avez-vous réservé une table?

— Excuse-moi, Petra, j'ai complètement oublié, dit Piers.

— Pourrais-tu t'en occuper pendant que je serai là-bas?» Une légère crainte m'a saisie. (J'ai failli dire que je ne savais pas pourquoi, mais c'est faux.) «Vous serez bien tous là, quand je reviendrai, n'est-ce pas ?

— Où irions-nous ? »

Rosario avait une voix qui ne lui ressemblait pas. Pour la première fois, j'y décelais une note d'amertume.

A dix heures, une voiture est venue me chercher. Le chauffeur s'est immédiatement engagé dans l'intérieur et, de la route, juste avant de tourner vers Muralla, j'ai eu une soudaine échappée sur la *Casita*, entr'aperçue dans une échancrure des collines. Elle m'a paru plus foncée, d'une couleur ocre doré, due soit à une couche de peinture neuve, soit au soleil. Mais quand le soleil ne brille-t-il pas, dans ce pays ? Les monts jaunes, brodés de points de tapisserie gris et vert foncé, se sont refermés ainsi que des panneaux coulissants, et la maison a disparu derrière.

Je ne m'étais pas trompée concernant ce que j'allais trouver à Muralla, un de ces bâtiments administratifs modernes, en béton granuleux et blanchâtre, qui défigurent la Mediterranée et ressemblent tout à fait à un bloc de crème glacée industrielle. A l'intérieur, dans l'« atrium », ainsi qu'on l'appelle probablement, croissait une forêt de plantes vertes artificielles. Il y avait même, dans des bacs en polystyrène, un petit bosquet d'arbousiers en plastique. On me pilota à travers cette jungle pour me conduire jusqu'à une porte marquée *Privado*, et c'est là, et là seulement, tandis que deux autres policiers arrivaient et que l'un d'eux sortait une clé de sa poche, que je me suis sentie défaillir et qu'une minuscule bulle de panique m'est montée dans la gorge et m'a coupé la respiration.

Ils se sont montrés d'une extrême gentillesse à mon égard. En mâles grands et forts, ils se délectaient à exécuter la tâche que la nature leur a assignée, c'est-à-dire protéger les femmes contre les laideurs de l'existence.

L'un d'eux parlait un anglais passable. Si je voulais bien me donner la peine d'examiner ces objets, de les examiner soigneusement, de réfléchir, et ensuite on me poserait quelques questions très simples. Il n'y aurait absolument rien de désagréable. Quant aux ossements retrouvés dans la grotte — il semblait s'excuser du fait même qu'ils existaient — il était inutile que je les voie.

« J'aimerais les voir, ai-je déclaré.

— Ils ne sont plus identifiables, après si longtemps.

— J'aimerais les voir.

— Comme vous voudrez », a-t-il dit en haussant les épaules, et la porte s'est ouverte.

Une pièce vide. Des tiroirs, des plans de travail, comme dans une salle de dissection, sauf que les surfaces étaient toutes en bois clair et que des stores composés de lamelles grises verticales garnissaient les fenêtres. On a ouvert des tiroirs et sorti des présentoirs pour les poser sur la longue table centrale. Je me suis approchée lentement, les mains nouées, le bout de mes doigts glacés contre ma paume moite et froide.

Devant moi étaient étalés deux paires de chaussures, des sandales de femme en cuir bleu marine, à semelles compensées, et des souliers d'homme, qu'on appelle aujourd'hui des baskets et qu'on désignait à l'époque sous le nom de tennis ou chaussures de gymnastique ; des lambeaux de vêtements mangés par la vermine, qui avaient pu être un pantalon de flanelle, une chemise, une robe dont le col avait conservé un bouton en nacre ; une chaîne d'or avec une croix, une montre en or avec un bracelet et une chaînette de sûreté, une autre montre, plus grosse, dont le bracelet de cuir était pourri, une bague de petite fille, composée de deux minuscules turquoises montées sur un anneau d'or mince comme un fil.

J'ai examiné le tout. J'ai examiné ces choses avec indifférence, mais en affectant d'être intéressée, parce qu'on me regardait. La collection d'ossements était trop pitoyable pour être obscène. Il y avait forcément autre chose. Seuls quelques fragments avaient dû tomber dans la grotte. J'ai pris un os allongé. Le policier qui m'avait amenée a avancé la main vers moi, mais son supérieur, qui m'observait attentivement, l'a arrêté. Tenant l'os dans mes deux mains, j'en ai tâté l'usure sèche et morte, grise et granuleuse, les années depuis si longtemps privées de vie, puis je l'ai reposé délicatement.

Alors j'ai tourné à jamais le dos à tout ça.

«Je ne reconnais aucun de ces objets. Ils ne me rappellent absolument rien.

— Vous en êtes sûre? Vous ne voulez pas attendre d'avoir un peu réfléchi?

— Non, j'en suis absolument sûre. Je me souviens très bien comment étaient habillés mon frère et ma cousine. »

Je leur ai décrit les vêtements qu'ils portaient. J'ai énuméré les bijoux qu'ils avaient sur eux. Le médaillon que Rosario avait au cou quand je l'avais vue pour la première fois, le médaillon au couvercle en semence de perles, qui renfermait le portrait de sa mère.

«Merci beaucoup. Votre aide nous a été très précieuse.

— J'ai éliminé au moins une possibilité», ai-je dit, sachant qu'ils ne pouvaient pas comprendre.

On m'a ramenée à Llosar. Le fruit de l'arbousier met un an à mûrir. Les fleurs de l'année en cours, qui sont maintenant en pleine floraison, deviendront des fruits dans douze mois. Dès qu'ils sont à point, on les cueille pour faire des tartes. Soudain, j'ai été prise d'une envie absurde de revoir les arbousiers du jardin, de les voir avant qu'on les ait dépouillés. J'ai ouvert moi-même la portière de la voiture et suis partie vers l'hôtel sans jeter un regard en arrière. Mais au lieu de prendre l'escalier, je suis entrée dans le jardin ombragé, le joli jardin, avec ses allées géométriques, ses petits bassins carrés peuplés de poissons jaunes, ses cyprès et ses genévriers rassemblés en groupes, comme s'ils s'étaient réunis pour bavarder. En haut, à gauche, la terrasse émergeait dans le soleil et, un peu plus loin, il y avait la piscine, mais ici, en bas, l'arbousier déployait ses fleurs blanches chatoyantes et ses fruits embrasés, étincelants comme les décorations d'un arbre de Noël.

Piers et Rosario étaient sur la terrasse. Je me demande comment je le savais, car je ne me souviens pas d'avoir regardé de ce côté. Je sentais sur moi leurs yeux angoissés, et ils me transmettaient leur inquiétude à travers l'air chaud, immobile, lourd d'attente. Je savais tout d'eux. Je savais ce qu'ils ressentaient en cet instant. Ils m'ont vue et ont cru lire dans ma présence en ce lieu, dans le fait que j'étais allée directement dans le jardin, la colère, le chagrin et la conscience d'avoir été trahie. Il fallait bien entendu que je mette immédiatement fin à leur angoisse, que j'aille vers eux et repousse à plus tard la contemplation des fruits écarlates et des fleurs neigeuses au doux parfum.

J'ai pourtant d'abord cueilli une arbouse et l'ai portée à mes lèvres. Iris Harvey s'était trompée. Ce n'était pas un fruit insipide, il avait un goût de légume frais et croustillant, une curieuse acidité. Un goût différent, différent de celui de tous les fruits que je connaissais, mais pas désagréable. J'avais l'impression que je finirais par m'y habituer. Je suis montée sur la terrasse. Will n'était pas là. Avec le courage que je leur connaissais, leur brave cœur indomptable, ils m'attendaient. Vêtus avec recherche, presque trop habillés dans cet hôtel où tout le monde était en maillot de bain, ils ne m'en semblaient pas moins nus, et leurs yeux reflétaient la tragédie d'une longue existence de misère. Ils se tenaient par la main.

« Petra », a dit Piers.

Mon nom. Rien d'autre.

Il aurait été bien cruel de les faire languir plus longtemps. Depuis qu'ils vivaient avec moi, j'avais appris le langage des êtres humains, ceux qui connaissent l'amour et sa chaleur.

« Comme vous avez l'air triste. Tout va bien, j'espère ? J'ai passé une matinée idiote. J'ai perdu mon temps en allant là-bas. Je n'ai vu qu'un amas de loques que je n'ai absolument pas reconnues et quelques bijoux de pacotille. Je me demande ce qu'ils imaginaient... peut-être que ça avait un rapport avec vous deux. »

Ils ne bougeaient pas. Je sais les effets que peut produire un choc. Mais, peu à peu, leurs doigts entremêlés se sont desserrés et Rosario a retiré sa main. Je me suis avancée et les ai embrassés tendrement tous les deux. Puis, j'ai ri. « Excusez-moi. Je ris parce que je suis heureuse. Les enfants rient bien de bonheur, alors pourquoi pas nous ?

— Pourquoi pas ? » a dit Piers, comme si c'était une chose qu'il venait de découvrir, comme si un monde nouveau s'était ouvert devant lui. « Pourquoi pas ? »

Je me suis souvenue qu'il y a bien longtemps mon frère avait posé cette même question de pure forme, puis acquiescé pareillement, quand Will avait proposé d'aller visiter la *Casita*, et que Rosario avait paru contrariée. Un instant, je nous ai revus tous les quatre, tels que nous étions alors, Will et son chapeau de raphia, Rosario avec ses longues jambes et ses cheveux brillants, mon frère, débordant d'amour. J'ai poussé un soupir qui s'est vite transformé en sourire.

« Ça y est, je suis débarrassée. On pourrait rester ici pour prendre des vacances. Qu'en pensez-vous ?

— Pourquoi pas ? » a encore dit Piers et, cette fois, la répétition de ces mots nous a paru si comique que nous avons éclaté de rire, Rosario et moi, comme s'il avait lancé une boutade désopilante, un fabuleux mot d'esprit.

C'est ainsi que Will nous a trouvés, pliés de rire. Je suis sûre qu'il nous observait d'une fenêtre, pour déceler chez moi des signes de bon ou de mauvais augure, et qu'il avait estimé qu'il pouvait venir nous rejoindre sans risque.

« Est-ce que tu as réservé une table à Golondro ? » lui ai-je demandé, la voix enrouée d'avoir tant ri.

Il a secoué la tête. Je savais bien que ni lui ni personne n'avait fait de réservation.

« Je vais m'en occuper tout de suite, a-t-il déclaré.

— Dépêche-toi, ai-je lancé dans son dos. Nous allons fêter ça. Je vais commander une bouteille de champagne.

— On va fêter quoi, Petra ? a demandé Rosario.

— Oh, simplement le fait que nous sommes de nouveau ici, tous ensemble. »

Ils m'ont souri, car je les avais gratifiés d'un regard de tendresse que jamais je n'avais eu pour un amant. D'ailleurs, le sentiment qui l'inspirait valait mille fois celui que l'amour suscite, puisqu'il ne reposait ni sur l'aveuglement ni sur l'illusion. Je n'avais jamais été dupe, bien entendu. Je savais, sinon depuis le premier jour, en tout cas dès le troisième, que ce n'étaient pas mon frère et sa femme. D'abord, on ne peut être opéré deux fois d'une appendicite. Mais même sans cela, j'aurais deviné. Mon sang, ma chair, me l'avaient dit, ces treize années passées auprès d'un frère qui m'était plus proche que n'importe qui. J'avais toujours su que c'étaient des imposteurs dénichés et dressés par Will. J'ai su, presque depuis le début, que c'était une mystification montée dans un but totalement intéressé.

Mais on peut aussi voir les choses autrement. Je les ai achetés et, maintenant, ils m'appartiennent. Ils sont contraints de rester avec moi, ils ne peuvent aller nulle part ailleurs. N'est-ce pas ce que Piers a voulu dire en remarquant que désormais nous ne nous quitterions jamais? Ils sont devenus d'intimes compagnons. Nous n'avons plus rien à gagner les uns des autres, nous avons fait nos testaments et si l'un d'entre nous meurt, aucun des survivants n'en profitera.

Ils m'ont apporté plus de bonheur que je n'en avais jamais eu. Je connais le fond des êtres humains. Je les ai observés. Je sais par expérience que la devise du solitaire est vraie, et que c'est en restant spectateur qu'on a la meilleure vision de la partie qui se joue. Je sais que Piers et Rosario m'aiment autant que je les aime et que Will ne leur plaît pas plus qu'à moi. Ils ont dû lui donner sa part. Combien? Je l'ignore et je prévois que le lien qui les unit va se relâcher progressivement. Le processus a commencé quand je l'ai envoyé téléphoner pour réserver une table, que les yeux de Rosario ont rencontré les miens et que la bouche de mon frère s'est pincée dans une petite moue dubitative.

Devrais-je tirer un trait sur tout ça, en leur faisant une scène, en les accusant et en les chassant de ma vie? Devrais-je — définivement, cette fois, vu mon âge — me replier dans une solitude d'autant plus difficile à supporter que je connais désormais autre chose?

J'ai tenu dans mes mains un os de mon frère bien-aimé.

J'ai vu ses vêtements que le temps et la putréfaction ont transformés en lambeaux, et j'ai touché les restes d'une chaussure qui enfermait jadis son pied mince et vigoureux. Maintenant va commencer le processus de l'oubli. J'ai un nouveau frère et une nouvelle sœur, grâce à qui je vais être heureuse jusqu'à la fin de mes jours.

Will est revenu, l'air penaud, déconcerté par la scène qui vient de se passer, en nous annonçant que nous dînons, ce soir à neuf heures, au Parador de Golondro, la petite maison du désir. C'est l'occasion de se plaindre de l'heure tardive à laquelle mangent les Espagnols. Seule Rosario ne dit rien, bien sûr, puisqu'elle est espagnole... mais l'est-elle vraiment ?

J'ai décidé de ne jamais tenter de faire la lumière, de ne pas les tourmenter, de ne pas leur tendre des pièges pour les coincer. Je n'ai nulle envie de connaître les détails du complot. Et quand viendra l'instant fatal, je refuserai d'écouter les confessions de la dernière heure, pas plus que je n'en ferai moi-même.

J'ai lu dans leur regard, au moment où j'allais à eux pour les rassurer, qu'ils n'étaient pas plus dupes que moi. Ils savent que je sais et cela, grâce à l'amour qui nous lie, nous sommes capables de l'accepter.

CHAIR ET HERBE

de

Helen Simpson

1

Juchée sur le dressoir hollandais, Chouette guettait George Thurkle qui démembrait la carcasse. Ses yeux luisaient comme des grains de raisin vert pelés et aux commissures vernissées de ses babines saillaient, comme des têtes d'ail, ses minuscules crocs. Elle sursautait à chaque coup qu'il portait et qui chassait, avec un gémissement déchirant, l'air contenu dans les poumons de la bête.

Autant que possible Thurkle préférait dépecer ses carcasses lui-même, tenant en piètre estime les compétences de la corporation des bouchers de ce côté-ci de la Manche. Ils ne faisaient pas la différence entre le flanchet et l'avant-cœur, ricanait-il, et leur façon de parer la viande était une véritable catastrophe. Ils n'avaient aucun respect pour la mise en place des bardes de graisse et, étirant la viande sans la dépouiller au préalable de sa membrane et de ses cartilages, roulaient maladroitement les rôtis qui, *bien sûr*, adoptaient des formes grotesques dix minutes après leur introduction dans un four à feu vif. Quant à tenter d'obtenir des escalopes découpées en biais : autant espérer qu'il pousse des ailes à un cochon.

La tête et les pieds étaient déjà dans le saloir en merisier, là-bas dans la remise, tandis que la cervelle égouttée macérait dans du lait salé. Il l'avait promise à Growcott, tout en se réservant les oreilles pour son usage personnel ; il affûtait ses dents à la pensée des extrémités cartilagineuses frites dans de la mie de pain.

Le hachoir jetait des éclairs avec une régularité d'horloge, et bientôt, la plus grande des jarres à saumure fut elle aussi presque pleine. Chouette ne quittait pas des yeux l'assiette contenant la rate d'un brun-rouge éclatant. Elle fut la première à entendre crisser le gravier sous les pas de Félix Growcott et, quand il ouvrit la porte de la cuisine, elle fila comme une flèche dans le jardin, emportant en triomphe entre ses crocs la rate kidnappée.

Thurkle ravala des jurons comme une boule de glaires au fond de sa gorge et son visage aux mâchoires bleues devint livide. Puis, le hachoir toujours à la main, il s'élança, bousculant Growcott au passage, assoiffé de sang. Chouette escalada l'araucaria en quelques secondes, non sans avoir abandonné la rate à mi-hauteur sur une branche épineuse vert bouteille, où elle devait se balancer plusieurs jours au gré du vent, becquetée par les corneilles.

« Cette chatte me rendra chèvre, dit Thurkle en regagnant la cuisine.

— Tu devrais pas laisser des choses comme ça te hérisser le poil. C'est mauvais pour ta tension. Eh bien, il me semble qu'il reste plus grand-chose de Prospérité, si j'ose dire. J'arrive pas trop tard ?

— Non, tu es pile à l'heure. Tu peux détacher les filets puis ôter la crépine des boyaux, ça me permettra de faire des *crépinettes* cette semaine. »

George Thurkle était le chef et le propriétaire du restaurant très réputé de Barwell, *Chez Thurkle*, dont les guides gatronomiques chantaient les louanges.

« Tu as raison. Le temps que je me récure ! »

Et Growcott, qui avait déjà retroussé ses manches jusqu'au coude, entreprit de se laver les mains et les avant-bras avec la gaieté exubérante d'un chirurgien. C'était un bon cuisinier, peu sujet aux haut-le-cœur, pointilleux question nourriture et d'une méticuleuse patience dans l'apprêt des viscères et autres membranes cordelées.

Les deux hommes se tenaient de part et d'autre de la table, découpaient et tranchaient, les bras écarlates jusqu'au coude, insinuaient leurs lames au travers du tissu conjonctif, dans la chair à fibre grossière, autour de la tête des os à l'éclat bleuâtre, tout en comparant les mérites d'une saucisse sabodet à base de tête de porc et d'un *fromage de tête* fabriqué dans les règles de l'art.

« Une fois que ta tête a macéré pendant huit heures, tu fais le tri et tu flanques à la poubelle les os et les dents, dit Thurkle. Bien sûr, ça prend un certain temps.

— J'ai vu du fromage de hure où on laissait la langue entière, dit Growcott d'un air convaincu, tandis que le reste de la viande découpée en petits dés l'entourait dans la gelée.

— Santé sera bonne pour l'abattoir en novembre, dit Thurkle. J'ai pensé la réserver pour cette recette de tête de sanglier Corpus Christi pour Noël.

— Recette de tête de truie, tu veux dire. »

Ils se lavèrent les mains ensemble à l'évier de la cuisine dans une mousse de bulles roses ; puis Thurkle déboucha une bouteille de muscadet.

« Qu'en penses-tu ? » demanda-t-il, en faisant tournoyer une gorgée à petit bruit dans ses joues gonflées comme celles d'Eole. « Il n'est que de l'an dernier. Je ne sais pas.

— Moi, je le trouve tout à fait bon. Un petit peu vert, peut-être, d'une légère gaucherie juvénile, minauda Growcott, mais pas pire pour autant. »

Par la fenêtre, il aperçut Chouette qui nettoyait une portion du carré d'oseille. Elle jeta un coup d'œil derrière elle, à droite et à gauche, avant d'adopter une position accroupie sur la pointe des griffes. Durant quelques secondes de tension, elle demeura ainsi, le dos rond, faisant mine de penser à autre chose, puis inspecta le résultat avant de le recouvrir à coups de patte d'un tas de terre, modeste et affairée.

« La merde des carnivores produit un horrible compost, observa Growcott. Elle ne pourrit pas dans la terre comme la bouse des herbivores. Ça donne à réfléchir. Peut-être pourrais-je obtenir de Bryony, ma fille si angélique, qu'elle fasse finalement quelque chose d'utile si j'insistais pour qu'elle aille se soulager dans le jardin. Et près des rosiers de préférence. J'en ai plus que soupé de sa sainte-nitoucherie, c'est moi qui te le dis.

— Ah ! les femmes, fit Thurkle. A ce propos, et ta dernière conquête ? Tu l'as rencontrée à l'autre bout de ton stéthoscope, pas vrai ?

— Absolument pas, répliqua sèchement Growcott. Trop risqué pour moi. Je ne peux pas me permettre de mêler les affaires et le plaisir, mon vieux. »

Même Thurkle ignorait que s'il était venu dans ce trou perdu de Barwell, au bout du monde, à trois bonnes heures de Londres, c'était justement pour échapper à une stupide histoire de rien du tout, qui ne regardait que lui, mais lui avait néanmoins coûté sa consultation à Saint Pancrace et — presque — son droit d'exercer la médecine.

« Y a aucun mal à regarder, non ? Et la fille de Bob Lester, comment s'appelle-t-elle déjà, celle qui a de l'asthme, Marianne ?

— C'était il y a deux ans et ça ne m'a mené à rien. Elle ne consulte plus depuis des mois. Comme je le disais, ça ne vaut rien de mélanger le travail et le plaisir dans la profession que j'exerce. »

Delphine avait-elle eu une nouvelle crise de conscience ? Elle ne serait sûrement pas assez bête pour aller tout déballer après tant de temps. Non. Le côté *Vengeance d'une femme* était chez Delphine Thurkle le moins développé qui soit, ça c'était évident. Il n'arrivait pas à croire qu'elle se soit laissée aller à ce point. Il se souvenait des griffures qui marquaient le tour de ses yeux la dernière fois qu'il l'avait vue, et qui, chaque fois qu'elle penchait la tête, formaient des poches treillissées pathétiques, tout comme une pomme oubliée dans la coupe à fruits une quinzaine de jours. Cependant, il valait mieux combattre le feu par le feu.

« Au fait, comment va ta femme ? demanda-t-il avec un zeste de belligérance. Comment se porte la belle Delphine ?

— Plus grosse que jamais, dit Thurkle. Elle doit peser autant que Santé. Dieu sait quelle sera son envergure quand elle atteindra quarante ans.

— Allons jeter un coup d'œil à Santé », suggéra le docteur.

Ils emportèrent leur verre au fond du verger, au bas

du jardin potager tout en longueur. La porcherie se trouvait juste avant le portillon du verger, un peu en retrait des clapiers, des remises et du petit fumoir de pierre, bâti suivant les propres indications de Thurkle, huit ans plus tôt, par Roger Saddington, le mauvais sujet du coin, qui depuis lors avait travaillé tour à tour comme ouvrier agricole, fossoyeur, manutentionnaire au supermarché et tondeur de gazon, avant de découvrir sa véritable vocation à l'abattoir du voisinage.

L'animal était couché sur le flanc dans la paille, savourant le soleil de septembre. C'était une truie Tamworth de teinte cuivrée; elle se redressa avec difficulté à leur approche et s'avança vers eux; son allure porcine et ses pattes sans articulation lui donnaient la démarche raide et affectée d'une femme perchée sur des talons aiguilles. Sur chacun de ses pieds de devant, on voyait le minuscule orifice entouré, comme par un tatouage, de six petits cercles, surnommés les griffes du diable, par lesquels, dit-on dans la Bible, les démons ont pris possession des pourceaux de Gadarène. Elle avait de tout petits yeux et la vue basse, des oreilles comme des feuilles, frangées de soies roussâtres, et son groin se terminait par un bouton de chair au contour humide, dont les œillets étaient les narines. Dépourvue de cou et de taille, les flancs lisses comme des dalles, la panse proéminente, son arrière-train de carte postale salace se concluait en une pathétique esperluette.

«Elle est déjà d'une taille respectable, dit Growcott, impressionné.

— Elle sera parfaite quand elle aura avalé jusqu'au dernier les fruits tombés, dit Thurkle en désignant le verger d'un geste brusque de la tête. Elle aura dix-huit mois en novembre. Je pensais changer et élever des Bleus de

Camborough l'an prochain, mais je ne sais plus. Les Tamworth sont tellement économiques à nourrir.

— Les restes de la cuisine ne sont pas perdus pour tout le monde», fit Growcott.

Santé avait atteint ce summum d'embonpoint, non seulement grâce aux panais et aux épluchures de pommes de terre, mais encore à la farine d'orge, au colostrum de vache, aux vesces tardives, au sainfoin, colza, trèfle, etc., et aux souris qui venaient à s'égarer dans sa soue.

«J'ai obtenu le droit de cueillette dans le bois de Shorter en octobre, poursuivit Thurkle, les faines et les glands rajouteront les derniers kilos qui lui manquent.

— Ça en vaut la peine, non?

— J'ai pas vraiment le choix, dit Thurkle. Par ici, toute la viande de porc est de fabrication industrielle. Je ne sers pas de cette saleté dans mon restaurant.»

Cela les lança sur ce qui était peut-être leur sujet de prédilection : à quoi reconnaissait-on vraiment un bon bacon. Tandis qu'ils débattaient du mérite du lard idéal, à la couenne incomestible, dure comme du cuir et parfois recouverte de soies, ou de la manière dont le maigre ne devait pas se détacher du gras, ou encore dont la graisse cuite, dorée et résistante, ne devait pas s'effriter, son onctuosité masquée par sa consistance ferme, une fillette de dix, onze ans se faufila jusqu'à la porcherie.

«Tiens, mais c'est Susan Farewell, commenta Growcott.

— Que veux-tu?» fit Thurkle.

Susan lui répondit en rougissant.

«Miss Stackpole nous a dit qu'on doit chercher des exemples autour de nous, vous savez c'est parce qu'on a fait la digestion en sciences nat', et je me suis dit qu'un lapin serait un bon exemple parce qu'on doit finir la digestion par une sorte de mini exposé. Alors j'ai pensé aux lapins parce qu'ils mangent tout deux fois à cause que l'herbe est trop dure pour la digérer d'un seul coup. Rapport à la cellulose.

— De nos jours, on leur apprend de drôles de choses à l'école, dit Growcott.

— Qu'est-ce que tu racontes ? dit Thurkle à Susan.

— S'il vous plaît, je peux regarder vos lapins rien qu'une demi-heure ? murmura-t-elle.

— A condition de ne pas y toucher.

— C'est parce que les lapins sont des herbivores, persista-t-elle. Où est Bryony, docteur Growcott ?

— Les allées et venues de ma fille sont, comme d'habitude, un vrai mystère pour moi.

— Mais où il est l'autre cochon ? demanda-t-elle en fouillant la porcherie du regard.

— Prospérité ? Elle vient de rentrer de l'abattoir », fit Thurkle.

Les enfants l'irritaient et il avait envie que celle-ci déguerpisse. Les yeux de Susan s'agrandirent, brillants de larmes, et sa bouche se mit à trembler ; puis elle prit ses jambes à son cou.

« On n'imaginerait pas que la fille d'un boucher soit sensible à ce point, dit Growcott songeur. Dix contre un que les lapins vont aussi la tournebouler. Après tout, ils bouffent leur progéniture, comme leur propre crotte. »

De retour chez lui, dans son bureau, Growcott ouvrit son classeur et en sortit son journal intime. « Ombres anthraciteuses sous les yeux de la benjamine des filles

Farewell», nota-t-il. «Bras mordillables. Petite langue rouge, lèvres comme des bonbons sucés.» Il referma son journal d'un geste sec, le remit dans son enveloppe de papier kraft et le reglissa dans son dossier d'assurances; puis il étala livres et notes, et s'apprêta à travailler une petite heure à son *Histoire personnelle de la gourmandise*, pour laquelle il avait reçu — et déjà dépensé — un généreux à-valoir d'un éditeur de Soho aux abois, qui avait parié sur sa promesse de lui livrer, à l'automne prochain, «quelque chose qui ferait saliver d'abondance». Une page du chapitre intitulé provisoirement LE LIEN VITAL : CONFUSIONS DU CULINAIRE ET DU SEXUEL voleta sur le tapis. Il y jeta un œil et s'aperçut qu'il s'agissait d'un extrait d'un texte libertin de la Restauration dû à la plume de Killigrew. Il le relut avec un sourire attendri. «Une fille de quinze ans, aussi douce que le satin, aussi blanche que son tablier du dimanche, et du premier duvet. Je la prendrai avec des tripes et la réchaufferai d'un rigodon ou deux, puis, après l'avoir plumée, la placerai au sec entre une paire de draps; puis l'enduirai d'esprit-de-vin pour la préparer à l'homme et farcirai son cœur de trois grains d'amour fou qui lui donneront le goût de ce qu'elle fait.»

Seize ans, quinze ans. Règne de l'arbitraire.

Il classa la citation et passa à la rubrique CHAIR : DIVERS. Il avait déjà goûté à certains mets inhabituels de la liste, comme alligator, castor émétique, ortolans bardés de feuilles de vigne au gras ou encore marmotte sauvage dite d'Amérique; d'autres, tels lamproie, hérisson cuit dans l'argile, cous de bernache et concombres de mer gélatineux, représentaient des festins à venir. Par contre, il avait dû admettre qu'un plat à base de bosse de bison, mentionné par Fenimore Cooper dans l'un de ses romans, était une pure impossibilité. Gregory Gough, en compagnie duquel il avait bien trop bu lors du dernier banquet des anciens élèves, s'était vanté d'avoir consommé une délicieuse fricassée de pattes d'ours au cours d'un voyage de presse en Chine, et de s'être régalé, plus près de nos climats, de saucisses d'âne au fumet délicat en Castille. Sans raison particulière, l'image de la chatte de Delphine, se faufilant dans l'herbe, surgit devant ses yeux.

Jusqu'à présent tout ce qu'il avait consigné à l'article CHAT se résumait à un paragraphe bizarroïde de l'écrivain William Salmon : « On ne mange pas habituellement de sa chair, cependant on la tient dans certaines Contrées pour excellente ; sa Cervelle passe pour être toxique et provoquer folie, hébétude et perte de mémoire ; le seul moyen d'y remédier étant le vomissement et la prise de musc dans du Vin. En compresse, sa Chair atténue grandement les douleurs hémorroïdales. »

2

Dehors, l'air était couleur éléphant, tassé de pluie. Valérie Farewell creusa de ses paumes sa chute de reins en levant le menton, et sa gorge dessina l'arche du pont qu'on voit, près d'un saule pleureur, sur certains services à thé chinois. Ses cheveux étaient noués sur la nuque par un chiffon à poussière, et elle portait un grand tablier vert à bavette. Ses jambes nues avaient la texture du sable, comme si toute la poussière de l'été s'y était accumulée, et la peau, autour des chevilles, était piquetée de morsures de puces. La cuisine était enfin propre, et elle franchit sur la pointe des pieds le lino humide pour aller jeter un œil sur le bébé.

Couché sur le dos dans son moïse, il observait l'une de ses mains, remuant lentement ses doigts en l'air, comme une créature sous-marine agite ses tentacules au creux d'un rocher. Il sourit en l'apercevant et se mit à tricoter des bras et des jambes à toute vitesse, tel un sprinter en surplace.

147

Thomas apparut sur le seuil, luisant d'eau de pluie.

«Comment va le petit monstre? fit-il.

— Viens voir par toi-même, répondit Valérie. Mais fais attention, je viens de laver le sol.

— Il a l'air content, on dirait, observa Thomas comme le visage du bébé s'illuminait d'un grand sourire ravi.

— Il a un visage de poupée, roucoula Valérie. Regarde-moi ce visage. Comment croire au péché originel quand on le voit?»

Ils se tenaient enlacés, l'un contre l'autre; puis se tournant vers lui, elle passa et repassa son index dans ses sourcils broussailleux, aussi drus que de la fourrure.

«Alors, dit-elle, si tu me racontais de quoi on cause. J'ai pas mis le nez dehors de toute la journée.

— Ce matin, j'ai commencé par aller livrer chez George Thurkle et on a eu une conversation tous les deux. Il est toujours emballé par cette idée de sanglier sauvage, mais il faudrait que je mette cinq mille livres, et ce ne serait qu'un début.

— Encore un emprunt, fit Valérie.

— Il m'a promis que Delphine se chargerait de la partie commande.

— Vraiment? Je me demande si Delphine est au courant.

— Puis j'ai vu le Dr. Growcott à Stokeridge; il aidait une femme à descendre de sa voiture flambant neuve.

— Il ne détèle pas, à ce que je vois, fit Valérie. Et elle était comment?

— En minijupe. Elle avait de jolies jambes.»

Thomas versa du thé dans deux tasses, puis en sortit deux autres.

«Les femmes qui en jettent en mini n'ont ni buste ni cou, en général, décréta Valérie qui souligna ses formes en se caressant la cage thoracique. Quant à lui, y a mieux dans le genre.

— Tu m'sers du thé, pa'? s'écria Susan Farewell en se précipitant dans la cuisine. Je meurs de faim. Ce qu'on a mangé à midi à la cantine, c'était dégueulasse. Mélanie Caldwell a rendu pendant le cours de maths et on l'a laissée partir plus tôt. C'est à cause des friands, je parie, ils sentaient mauvais. Je vais devenir végéta-rienne.

— Plutôt mourir, dit Valérie en poussant une assiette de toasts vers sa fille.

— J'aurais l'air malin si jamais tu faisais ça, tu crois pas? dit Thomas, lui tendant le pot de confiture de cassis.

— Tu t'en fiches pas mal de ces pauvres animaux, dit Susan. Miss Stackpole nous a lu un article où on raconte ce qu'on leur fait. C'est cruel.

— S'il n'y avait que ça de cruel dans le journal, dit Valé-rie avec froideur. Aujourd'hui, par exemple, j'ai lu qu'à Barcelone, dans un cinéma, vingt-six personnes ont brûlé vives pendant une projection de *Bambi*. Et aussi qu'on a violé et étranglé une pauvre fille qui faisait du stop près de Thirsk, où habite Tatie Janet. Qu'est-ce que tu veux y faire?

— Bryony Growcott m'a dit que nous touchions le prix du sang, dit Susan en reniflant.

— J'aurais dû me douter qu'elle était derrière tout ça, fit Valérie avec colère.

— Je suis crevée, claironna Judith Farewell, se joignant à eux, à la table de la cuisine. Donnez-moi un toast. Y a des gâteaux, 'man?» C'était une grande plante de dix-sept ans, à l'air boudeur.

«Prends ton thé. N'oublie pas que tu dois pas toucher aux gâteaux tant que tu seras pas redescendue au-dessous des soixante-dix kilos. Tu nous demandes pas des nouvelles de William? C'est ton bébé, quand même.

— Comme si j'savais pas! Laisse-moi respirer une minute, tu veux? J'arrive à peine de l'école et faut que je ressorte à six heures pour ce putain de cours de diction chez Delphine.

— Ne jure pas, fifille, dit Thomas. Ça dérange ton vieux père.

— Vieux, tu parles, fit Judith avec aigreur. Vous paraissez tous les deux foutrement plus jeunes que moi, ces derniers temps.

— Le voilà qui pleure, dit Valérie en faisant claquer sa langue. Susan, ma chérie, monte faire tes devoirs, comme ça tu pourras manger avec nous en regardant *Rendez-vous avec la mort* à huit heures. C'est la deuxième et dernière partie.

— Y a quoi pour dîner? demanda Susan, d'un ton soupçonneux. Je veux du fromage.

— Pour l'amour de Dieu! s'exclama Valérie.

— Viens me faire un baiser», dit Thomas. Susan alla s'asseoir sur ses genoux et éclata en sanglots.

«Alouette, gentille alouette, brailla Valérie pour couvrir les hurlements du bébé, alouette, je te plumerai.

— Y reste du brie, 'man? demanda Judith. Je suis bien contente de plus être enceinte; tout le monde me cassait tellement les oreilles avec des histoires de nourriture saine et équilibrée que je pouvais quasiment plus rien manger.

— Je te plumerai le bec! Je te plumerai le bec! Et la tête? et la tête! Alouette! Alouette! Ah! Tu dois nourrir William avant d'avaler quoi que ce soit d'autre», lui dit Valérie en installant le bébé contre sa poitrine. L'air courroucé, Judith déboutonna sa blouse d'écolière et en extirpa un sein gros comme une roue de camembert, dont la large aréole brune était ornée d'une goutte de lait. Le bébé s'en empara, Judith grimaça de douleur, fléchit un peu, avant de se plonger dans la contemplation du dessin de la nappe, l'air aussi morose qu'un marin dont le regard se perd au large.

« Et quand t'auras fini, arrange-toi pour t'en tirer un demi-biberon avant d'aller chez Mrs. Thurkle, ajouta Valérie. Il aura besoin d'une autre tournée avant que tu reviennes.

— Quand est-ce que tu te feras couper cette couette ? » demanda Thomas en caressant les cheveux de Susan. Elle suçait son pouce, nichée contre son épaule.

« Jamais », dit-elle d'une voix indistincte. Elle avait les cheveux coupés très court, à l'exception d'une natte maigrichonne d'une dizaine de centimètres, tressée serré à la base du cou. « Tout le monde dans ma classe a essayé de s'en faire pousser une et c'est la mienne qui est la mieux. »

Chez Delphine Thurkle, Chouette se coucha paresseusement devant le feu dans le salon sentant le renfermé ; elle cambrait l'échine comme l'une des danseuses à taille de guêpe de Cnossos. Ses longues pattes étaient aussi douces au toucher que celles d'un lapin, ses griffes, transparentes comme le tuyau d'une plume, étaient rentrées dans leur gaine. Elle s'étira et ses coussinets s'ouvrirent en étoile. Judith Farewell était assise près d'elle, gros tas de morosité, montagne de chair avachie sur un tabouret, se rôtissant le profil gauche.

«A toi de lire, Bryony, dit Delphine du fond de son fauteuil, et souviens-toi que pour prononcer cette voyelle que tu trouves si difficile, il suffit de former un petit cercle avec la bouche et puis de dire eeee, en poussant.

— *Sur les ormeaux du bord du chemin, tout couverts de poussière blanche**, lut Bryony; mon Dieu, c'est d'un ennui, Delphine. On est vraiment obligées de se farcir Daudet?

— Moi, je ne le trouve pas ennuyeux, gazouilla Delphine. Et toi, Judith? Mais on peut toujours essayer Maupassant, si tu préfères.

— Ah non, pas ce cochon de macho, protesta Bryony.

— Il est très bien, Daudet», marmonna Judith.

Chouette se redressa et se gratta le cou avec une vélocité féroce, s'y absorbant avec extase. Sa fourrure floconnait, collerette ébouriffée comme un chrysanthème du Japon couleur bronze. Puis elle se mit à sa toilette, levant raide une patte postérieure telle la cuisse d'un poulet, léchant et pinçotant par à-coups son arrière-train.

«Elle supporte ce Kitecat végétarien? demanda Bryony.

— Eh bien, j'ai essayé mais elle l'a laissé. Elle a même pas voulu y toucher, répondit Delphine sur la défensive. Elle n'aime que son Whiskas quotidien au bœuf et aux rognons.

— Elle s'y habituerait si tu lui laissais le temps, fit Bryony d'un ton méprisant. Tu n'as qu'à continuer. Domestiquer les animaux en appartement, c'est déjà assez nul, mais les nourrir de la chair de leurs congénères, c'est dégoûtant.

— Mais j'aime Chouette, dit Delphine. Viens ici, ma

* En français dans le texte.

152

mimine. » La chatte se lécha les babines avant de sauter sur ses genoux et commencer à fouler et suçoter un pli de son cardigan au creux du coude.

« Mon bébé, roucoula Delphine.

— Ton problème c'est qu'elle te sert d'enfant de remplacement, affirma Bryony.

— Peut-être bien, répliqua Delphine. Mais je l'aime et elle me rend heureuse, on s'aide mutuellement, on fait de mal à personne », ajouta-t-elle en bâillant, ce qui dévoila une impressionnante collection de plombages. Puis elle se tourna vers le feu et en réduisit la flamme.

« Passe-moi les biscuits », dit Judith en vidant sa tasse de chocolat chaud. Delphine s'exécuta et fut la première à plonger la main dans la boîte. Sa passion pour les barres Mars, sa préférence pour la viande blanche et sa prédilection pour la nourriture fadasse sur quoi que ce soit d'imperceptiblement aigre, inattendu ou bizarre, provoquaient le plus profond mépris chez George Thurkle. Il lui interdisait de s'approcher de la cuisine. Elle devait faire réchauffer ses boîtes de ravioli en conserve et son lait à l'Ovomaltine sur une plaque électrique, derrière un paravent dans son petit salon. Un jour, au début de leur mariage, il lui avait présenté un verre de Rivena et un verre de chablis, et lui avait demandé lequel elle préférait. Quels n'avaient pas été son ricanement et son plaisir non dissimulé quand elle avait choisi le breuvage pourpre et sucré. Mais ça ne la chagrinait plus, car elle avait perdu toute trace de son orgueil d'antan. A présent, elle cultivait la résignation et le pardon, se livrant à une longue séance de confession purgative à peu près tous les dix jours.

La chatte ronronnait comme une tondeuse à gazon sur les genoux de Delphine ; elle tendit le cou et se fendit d'un petit rictus de requin, exsudant une suffisance courtoise et béate. Sur le triangle parfait de sa tête, les rayures pain-d'épice prenaient l'allure de peintures peau-rouge en se rejoignant au point central du nez, ce demi-scarabée rose pâle. Puis ses paupières opaques s'abaissèrent, la dotant d'une apparente cécité oraculaire.

« *Retournons à nos moutons* * », fit Delphine. Mais le cœur n'y était plus.

« NOS moutons, voyez-moi ça, s'écria Bryony avec indignation. D'où nous vient cette certitude que les animaux ont été créés à NOTRE profit ? C'est généraliser un pur cas d'espèce que de prétendre que la race humaine l'emporte sur les autres formes animales.

— La voilà remontée, fit Judith, la bouche pleine de biscuits.

— C'est de la perversité, poursuivit Bryony. L'été dernier, j'ai rencontré un homme qui a fait un an de prison pour avoir relâché des souris de laboratoire. Il disait qu'il n'avait pas souffert la moitié de ce qu'auraient enduré ces souris et donc que le jeu en valait la chandelle.

— Des souris ! railla Judith.

— J'ai du mal à rester dans la même pièce que toi, dit Bryony d'un ton glacial, avec toute cette chair morte qui pourrit à l'intérieur de ton corps et les vêtements que tu portes achetés grâce à la vente de cadavres.

— Bryony ! la reprit Delphine. Ça suffit. Ne te crois pas obligée de dire tout ce que tu penses.

— Je m'en fous, fit Judith. Tout le monde sait qu'elle yoyote de la touffe.

— Il faut t'armer de patience, conseilla Delphine.

---

* En français dans le texte.

— Moi, m'armer de patience? cracha Bryony. Tout à l'heure tu vas me dire de faire du bénévolat pour la S.P.A. Ce qu'il faut c'est agir. Frapper où ça fait mal. Il nous faut détruire ces fermes de la mort, les réduire en miettes.

— Ecoutez-moi ça, dit Judith.

— Je pense qu'il vaut mieux être frappé que frapper soi-même, énonça Delphine.

— Merde», fit Bryony.

Chouette sauta sur le sol et s'étira devant la compagnie. Ses longs poils lui donnaient une fausse silhouette à la Falstaff et de ce majestueux ébouriffage jaillissait une queue comme un tuba. Elle se dirigea avec une lenteur calculée vers la porte, et les femmes la regardèrent faire sa sortie dans ses culottes bouffantes de l'époque jacobéenne, son plumet de fourrure oscillant au gré de sa démarche chaloupée et chichiteuse.

Une fois dans le jardin, elle se tapit près d'un buisson de houx et entonna une mélopée gargouillante à vous glacer le sang en guettant une pie qui becquetait çà et là dans les feuilles. Son arrière-train pivotait de-ci de-là, la concentration lui faisait frissonner l'échine, puis elle bondit et saisit l'oiseau entre ses incisives pointant à rebours. Il y eut un couic et des battements d'ailes frénétiques, et de l'autre côté des portes-fenêtres le cours de Delphine fut à nouveau interrompu. Pour s'assurer une meilleure prise, Chouette perfora la pie de ses longues canines, en prenant soin de ne pas les enfoncer trop profond dans la chair. Elle voulait faire durer le plaisir. Mais voici que traversant la pelouse accourut Delphine, trébuchant et chancelant sur ses mules duveteuses, le visage inondé de larmes, suivie de Bryony, armée d'un seau d'eau.

Chouette grogna derrière ses moustaches et mordit plus profondément sa proie; ses molaires carnassières se refermèrent comme des lames, cisaillant le volatile jusqu'à ce qu'il se tienne définitivement tranquille.

3

« Y'en avait sur toute la devanture de Thomas Fare-well dans la grand-rue », dit le vieux Mr. Gree-nidge, dont le magasin de pompes funèbres se trouvait un peu plus bas sur le même trottoir. « Y se sont servis d'une de ces bombes aérosols.

— A votre avis, m'sieur l'Agent, qui a fait ça ? » demanda Roger Saddington d'un air finaud, décapitant d'un souffle la mousse de sa bière et l'envoyant sur la manche de Mr. Greenidge.

« Je parle pas boutique quand je suis pas de service », répondit Guy Springall, qui regrettait toujours de se montrer au *Sanglier bleu*, mais ne savait pas quoi faire d'autre de son dimanche soir. Et ayant plus que des soupçons sur l'identité de celui qui avait bombé les mots « Cochons » et « Saletés » sur la porte du poste de police deux mois auparavant, il était d'avis que son interlocuteur ne manquait pas d'air.

« Je parie que vous le savez, pas vrai, hein ? continua

159

Roger en éclusant sa bière bruyamment. ''Viande égale Carnage.'' Quelle farce! Vous feriez mieux de m'arrêter tout de suite, moi, et mon complice ici présent tant que vous y êtes, lui qui s'entraîne à faire le fermier comme son vieux, pas vrai, Pete mon pote?

— Quand on parle du loup », fit Peter Talbot, prenant ses distances avec Roger, sans que cela soit trop patent.

Thomas Farewell s'approcha du bar et commanda une pinte de Badgers. Il jeta un regard à la ronde en se demandant — ce qui lui arrivait souvent maintenant — si celui qui avait fait de lui un grand-père prématuré, ne se trouvait pas dans l'assistance.

« T'as déjà fini de nettoyer ta vitrine? » dit Roger en s'esclaffant. Thomas soutint son regard sans ciller.

« En rentrant, tu veux bien dire à ta mère que sa commande de saucisses de Cumberland est arrivée », fit-il. Roger grommela, se renfrogna et finit par se taire.

« Je voulais vous demander une chose, dit Mr. Greenidge de sa voix flûtée, quand pourra-t-on remanger de la bonne viande sans rien risquer? Ma femme veut plus acheter que du poulet avec tout ce qu'on lit dans les journaux. »

Thomas surprit le regard de Peter Talbot posé sur lui. Il se racla la gorge.

« A propos de vaches, folles ou pas folles, marmonna Roger, on sait tous qui a fait le coup, c'est la fille du docteur, miss Gambettes, elle arrête pas de nous bassiner qu'elle est végétarienne.

— Ça suffit », fit l'agent de police Springall, qui n'appréciait pas le tour pris par la conversation. Il avait espéré apercevoir Bryony faisant son jogging en minishort — ses yeux étaient constamment à l'affût d'un tel spectacle, qui lui coupait le souffle quand il se produisait.

160

« Peu de gens savent, fit Mr. Greenidge, que c'est à cause du végétarisme que l'Inde s'est soulevée.

— Eh, j'étais pas né, moi.

— On a distribué aux indigènes des fusils chargés de cartouches d'un nouveau modèle, poursuivit Mr. Greenidge en l'ignorant, et ils ont dit que c'était contre leur religion de mordre dans de la graisse animale, parce que, voyez, il leur fallait arracher d'un coup de dent le bout des cartouches avant de les charger et on les lubrifiait avec de la graisse. Mais on y a pas du tout attaché d'importance, et avant qu'on ait pu dire ouf, on était dans le Trou noir de Calcutta et Dieu sait quoi encore.

— Hitler était végétarien, lança Peter Talbot.

— C'est pas vrai, fit Roger, furieux.

— Avant de devenir fermier, l'homme vivait de cueillette et de chasse, dit Peter Talbot. C'était la loi de la jungle : manger ou être mangé. » Et il fit claquer ses mâchoires d'un air désinvolte devant l'auditoire.

« En parlant de jungle, dit Mr. Greenidge, vendredi dernier deux élèves de l'école de Woodruff étaient dans le bois de Shorter et sont tombés, près de la ligne de chemin de fer, sur des sacs-poubelles noirs ; ils ont jeté un œil à l'intérieur et y ont trouvé un tas d'os.

— Y en a qui se relâchent, fit Roger, c'est du joli, faudra que j'en parle aux gars.

— Mais c'était pas des os d'êtres humains, on s'en est aperçu plus tard, ajouta Mr. Greenidge d'un ton déçu.

— Salut, docteur, fit Roger. On parlait justement des vaches folles.

— Une pinte et de la meilleure, commanda Growcott. Des vaches folles, vraiment ? Plus un sandwich à la tomate et au fromage, s'il vous plaît.

161

— Nous dites pas que vous êtes devenu végétarien et tout ça, vous aussi? fit Roger.

— Non. Je n'aime tout simplement pas courir de risques inutiles, répondit Growcott. Vous et moi, Roger, nous savons parfaitement ce qui entre dans ces plats pour micro-ondes, non? Groins, babines, mamelles, rectums, tous les déchets et les bas morceaux que Mr. Farewell ici présent ne peut vendre à l'étal. Sans oublier le plasma sanguin qu'on utilise aux urgences pour les premiers soins, n'importe qui peut en acheter aujourd'hui pour coller ensemble d'étranges assemblages de bouts de viande et les vendre comme du hachis Parmentier.

— Et alors? fit Roger d'une voix de stentor.

— Ah, ah! fit le docteur. Vous êtes un homme plus courageux que moi, la Légion!

— Je viens juste de manger deux de ces petits pâtés en croûte, dit Mr. Greenidge.

— Ce qui est fait est fait, énonça Growcott avec un sourire malicieux. Oh, avant que j'oublie, George Thurkle m'a demandé de vous demander s'il vous restait des copeaux de hêtre, il en a besoin pour son fumoir à jambons, vous savez bien. Au prix habituel, il m'a dit.

— Je ne vois pas ce qu'il entend par là, précisa Mr. Greenidge. Le hêtre a tellement augmenté l'année dernière, bien sûr c'est un bois d'excellente qualité, mais s'il continue à grimper comme ça, le prix des cercueils premier choix va crever le plafond. Dites-lui que je passerai un jour de la semaine prochaine pour voir si on peut trouver un arrangement.

— Elles flageolent, elles se mettent à tourner en rond, fit Roger ne lâchant pas son sujet, elles deviennent folles furieuses, elles déménagent, leur cerveau se transforme en éponge. Puis elles s'effondrent. Y a aucun remède contre ça. C'est comme pour le sida.

— On peut pas savoir, Roger. Tu es peut-être en pleine incubation du virus en ce moment même, fit Growcott avec un zeste de perversité.

— Vous êtes de bonne humeur ce soir, hein, toubib ? » lui lança Roger avec rancune. Il était secrètement hypocondriaque et savait que même une remarque facétieuse de ce type pouvait causer des ravages en lui.

Après avoir bu trois pintes au *Sanglier bleu*, Félix Growcott regagna son bureau et consacra deux petites heures à ses recherches, à l'affût de la moindre « friandise » qui pourrait amuser George Thurkle. Ils devaient se réunir le lendemain dans la cuisine de ce dernier, comme tous les lundis en quinze, pour un dîner « exploratoire ». Il recopia cette citation de Cobbett :

« Tuer un cochon comme il faut requiert un tel métier qu'il vaut mieux débourser un shilling pour ce faire que de donner des coups de couteau et tailler en pièces la carcasse au petit bonheur. » Savoir si Roger Saddington tuerait Prospérité *comme il faut* ne prêtait pas à discussion. Au dire de tout un chacun, il se livrait à sa besogne avec un tantinet trop d'enthousiasme.

Félix entendit la clé tourner dans la serrure de la porte d'entrée, puis des pas commencer à monter l'escalier.

« Bryony ! appela-t-il.

— Quoi ? beugla-t-elle.

— Viens ici. Il faut que je te parle.

— De quoi ? » fit-elle, apparaissant à la porte du bureau,

pâle, efflanquée, sévère. Et pendant qu'elle parlait, il remarqua comme, semblables en cela aux siennes, ses dents régulières faisaient saillie, extrêmement pointues, comme celles d'une scie. Idéales pour racler la pulpe charnue des feuilles d'artichaut, avait-il coutume de plaisanter. Mais il ne s'y serait plus hasardé à présent où un seul regard de Bryony aurait suffi, comme on dit, à faire cailler le lait.

« De tes talents artistiques en matière de graffiti. »

Elle ne répondit pas.

« Fais attention, simplement, dit-il. Je sais que tu aspires au martyre, mais bomber des slogans manque de la dignité requise.

— C'est tout?

— Tu nous préférerais plus éthérés, n'est-ce pas? Tu aimerais que nous pratiquions la nutrition autotrophe des plantes et que nous vivions tous d'eau fraîche et de l'air du temps comme toi. Si tu ne te remplumes pas sous peu, je vais être obligé de t'expédier quelque part où l'on te nourrira de force.

— Tu as fini? fit-elle.

— Sainte Bryony! hurla-t-il, hors de lui. Regardez la paume de ses mains! Ô miracle! Ce ne sont plus des stigmates mais des stomates qu'on y voit!

— Je m'en vais.

— Je n'aurais jamais dû te laisser partir chez ton amie à Camden. Tu n'y es restée qu'une semaine et tu en es revenue la tête farcie de ces absurdités. Où vas-tu?

— Regarder la télévision avec Delphine.

— Voilà qui est constructif. J'aurais dû me douter que tu n'allais pas retrouver un garçon.

— Tu commences à me fatiguer avec tes observations graveleuses », lança-t-elle. Et elle fit claquer la porte d'entrée derrière elle.

Thurkle présenta à Growcott dans une passoire des anémones de mer, fleurant la crevette et aux brillantes couleurs, qu'il avait eu beaucoup de mal à obtenir.

« Il y en a assez pour des *beignets de pastèque* comme entrée pour deux », dit-il l'air triomphant. Il passa tour à tour les fleurs marines sous l'eau du robinet, insinuant son pouce dans chacune d'elles, au centre, de manière à le faire dépasser des tentacules.

« Ce sont des créatures primitives tout à fait extraordinaires, dit Growcott. L'endroit où tu es en train d'enfoncer le doigt leur sert à la fois de bouche et d'anus.

— Tu veux bien les essuyer avec ces serviettes à thé pendant que je prépare la pâte », dit Thurkle.

Peu de temps après, ils grignotaient les petits paquets, chauds et fermes, au goût de saumure.

« La dernière fois, je les ai essayées en omelette, mais ça bavait de partout, expliqua Thurkle. Bon. Passons à la suite. A toi.

— Des rognons d'agneau, annonça Growcott, frais comme la rose, bien enfouis dans leur couche de graisse. J'ai pensé les faire *trifolati*, à moins que tu n'y voies une objection. »

Il se mit à les séparer de la graisse et à décortiquer les membranes.

« Ah, cette pointe entêtante d'acide urique. Ils m'ont tout l'air de petites bêtes bien solides, tu ne trouves pas ? »

Il en tint un en l'air, pincé entre le pouce et l'index.

« Et dire qu'en réalité ce n'est rien d'autre qu'un nid de minuscules néphrons tubulaires.

— Tu connais celle de l'Irlandais qui a demandé à l'un de ses amis de verser le contenu d'une bouteille de whisky sur sa tombe ?

— Oui. A propos d'Irlandais, tu crois que Paddy pourrait nous procurer un autre paon si je lui en allonge un paquet ? Ces escalopes étaient quelque chose.

— Aucune chance. Il s'est presque fait prendre la dernière fois. Depuis, ils ont mis en place des tours de garde à Postford House.

— Il est grand temps de nous offrir un petit safari, dit Growcott. J'ai entendu dire qu'il y a des autruches à présent dans ce zoo privé, près de Stokeridge.

— Sûr, mon gars. J'veux bien t'faire cette fleur, mais t'vois pas d'inconvénient à c'qu'j'm'occupe d'mes rognons d'abord ? » fit Thurkle, avec son plus bel accent irlandais.

Il prit dans le garde-manger un petit poulet et introduisit un zeste de citron dans l'orifice préalablement salé de l'arrière-train du volatile.

« C'est par là que le citron pénètre, mon cher Watson, fit Growcott d'un ton grivois. L'ennui avec toi, George, c'est que j'ai entendu toutes tes blagues une bonne centaine de fois, racontées par d'autres, et que ça me ramène en Prépa.

— En Prépa ! Rien que ça ! dit Thurkle, moqueur.

— Rigole pas. Les meilleurs chefs du moment sortent des grandes écoles. C'est ton problème, George. Le lycée de Stokeridge, c'est pas le fin du fin. »

Ils passèrent le reste du repas à discuter farces et sauces, s'aidant pour le faire descendre d'une bouteille chacun. Thurkle prétendit avoir rencontré un chef qui

166

bridait la volaille uniquement avec du fil trempé dans du cognac. Growcott voulut savoir s'il avait déjà essayé d'ajouter les œufs non pondus extraits d'une poulette de printemps à un *ragù*, se vantant d'avoir dégusté à Padoue des lasagne avec une sauce à base de ces mêmes globules dorés. Thurkle décrivit comment il avait aidé une fois à mortifier et à farcir un sanglier à Senlis, sans l'éviscérer : on l'avait percé d'un trou à la jointure de l'épaule et rincé abondamment de vin, tout en le bourrant de farce par la gueule. Growcott le traita de menteur. Thurkle chanta ensuite la louange du marcassin sauvage arrosé d'une sauce à la cerise. Growcott se mit à déclamer d'une voix de stentor :

« Le misérable sanglier usurpateur et aux abois... »

Il s'arrêta, l'esprit brouillé par l'alcool.

« C'est quoi la suite ? Na na na gâtant les vignes, se barbouillant de sang chaud, fourrant son boutoir au sein de na na na...

— Les seins de qui ? fit Thurkle.

— Quels seins ? Je parle pas de ça, crétin ! Je cite Shakespeare brodant sur le thème des sangliers.

— Ils savent se battre, c'est un fait », ajouta Thurkle.

Et il reporta toute son attention sur son verre, comme s'il y contemplait son propre reflet.

Le hachoir jetait des éclairs avec une régularité d'horloge. Tôt ou tard, ça devait arriver, songeait Thurkle, et cette fois, du moins, elle ne rôderait plus dans les parages, prête à décamper avec un abat de premier choix. C'était là le résultat fulgurant de l'une de ses rares crises de colère : avec une prestesse surhumaine, il s'était emparé du pilon de marbre et, l'ayant lancé avec une précision diabolique, lui avait fracassé le crâne du premier coup. Muni de son Sabatier préféré, aiguisé comme une lame d'argent, il détachait à présent la chair de la selle, y compris les filets sous les côtes, découpa ensuite les cuisses, taillant les tendons qui rattachaient les pattes au poitrail. Bizarre comme cette petite créature qui, assise, arquait si joliment le dos, aussi ronde qu'une pomme, épousait maintenant cette forme étirée, évoquant un lapin écorché, presque aussi longue qu'une hase. Il lui réserverait sa recette de terrine de lièvre à laquelle il adjoindrait les *quatre-épices* et du cognac pour masquer tout arrière-goût.

Delphine deviendrait folle quand elle s'apercevrait que la chatte avait disparu. Il plissa les yeux pour extraire la langue, qu'il fendit. De la taille d'un pétale de rose, elle portait à son extrémité une rangée de minuscules râpes qui la rendait rugueuse et sèche, comme du Velcro. Il se demanda distraitement s'il la confirait ou non.

«Mais elle n'a encore jamais passé une nuit dehors», fit Delphine, assise, dévêtue à demi, sur son lit. Son visage était tout enflé et barbouillé de larmes.

«Il y a toujours une première fois», fit Thurkle, se déshabillant en hâte. Il l'observait comme un corbeau observe une charogne.

«Tu restes dans ma chambre ce soir, George?» lui demanda Delphine, tombant des nues. Ils n'avaient pas couché ensemble depuis un an et demi. Ce qui faisait son affaire car elle détestait le sexe. Dans son passé obscur, encore adolescente, elle s'était retrouvée à gagner sa vie sur le Oudezidjs Achterburgwal du Rosse Buurt d'Amsterdam. Elle se tenait dans une vitrine avec quasiment rien sur le dos et disputait aux autres filles tout le long du canal le fric de clients dans le genre de George Thurkle. En haut, les ampoules électriques étaient rouges, pour des raisons symboliques évidentes. En bas, dans les toilettes, elles étaient bleues pour rendre la tâche malaisée à celles qui tentaient de se piquer. Mari et femme se haïssaient, bien que seul George admît ce fait à part lui.

« Active ! fit-il, debout près d'elle, nu, velu et tumescent.

— Mais je suis tellement énervée ce soir », protesta-t-elle en se mouchant le nez. Elle ne revenait pas de son étonnement et ses yeux rouge fraise s'emplirent à nouveau de larmes.

« Agrippe le dossier de la chaise », lui intima Thurkle qui, par superstition, ne voulait pas laisser voir à ses partenaires son visage se décomposer au cours de l'acte.

« Tes mains ! » lâcha-t-elle d'une voix rauque.

Il les regarda ; elles étaient mouchetées de vermillon jusqu'au poignet et leurs cuticules étaient bordées d'un rouge de rouille.

« Mes mains, t'occupe ! » fit-il, terriblement excité.

En effet, pour la première fois depuis des années, il arriva à l'éjaculation, c'est-à-dire à ce rétrécissement spasmodique des canaux génitaux qui précipite le sperme des testicules à l'urètre en une vague péristaltique. Chez la femme, le comble de l'excitation sexuelle a pour résultat un péristaltisme inverse, qui ne se produisit pas en l'occurrence, car Delphine, restée entièrement passive, concentrait tous ses efforts pour deviner où Chouette avait bien pu passer.

4

La queue partait du seuil de la boutique de Thomas Farewell et s'étirait le long de plusieurs autres ; c'était toujours le cas la semaine qui précédait Noël. Tout au bout, une bande de quatre commères bavassaient — Mrs. Greenidge, la femme du croque-mort, Denise, sa bru, Gail, la voisine porte à porte de Denise, et la mère de Roger, la vieille Mrs. Saddington.

« Vous avez vu qu'on a arrêté le violeur de Thirsk, lança Mrs. Greenidge.

— L'assassin, la corrigea Denise. Il l'a étranglée après.

— C'est horrible, horrible, fit Gail, en frissonnant.

— Faudrait les castrer, affirma Mrs. Saddington, puisqu'on les pend plus.

— Mais sous anesthésie générale, bien sûr », s'empressa d'ajouter Mrs. Greenidge.

Elle partageait les vues de Mrs. Saddington, mais redoutait le knout des opinions plus libérales de Denise sur la question, surtout à l'approche de Noël.

173

«Tu vas prendre une volaille fraîche, cette année? demanda Denise à Gail d'un ton agressif.

— J'y ai pas vraiment réfléchi, répondit Gail. Je suppose que comme l'an dernier il va vouloir de la dinde. C'est seulement notre second Noël depuis qu'on est ensemble, précisa-t-elle, comme en s'excusant, aux deux vieilles.

— Si je me souviens bien, tu avais acheté un prégraissé l'an passé, fit Denise.

— Doux Jésus, qu'est-ce que c'est que ça? s'écria Mrs. Saddington.

— On injecte de la graisse sous la peau de la bête, expliqua Denise, juste pour qu'elle dégouline quand on la fait rôtir.

— D'ailleurs, vaut mieux pas faire rôtir du tout la viande à ce qu'il paraît, lança Mrs. Greenidge. J'ai pas raison, Denise? Tu as bien lu quelque part que la viande rôtie, ça donne le cancer?

— C'est la faute aux nitrites, dit Denise d'un air sombre.

— Si ça tenait qu'à moi, reprit Gail, je crois que je prendrais de ces nouveaux *chicken nuggets*; y a pas d'os et très très peu de calories.

— Par contre, on peut recommencer à manger des cacahuètes, continua Denise, l'acide linoléique c'est bon pour les artères.

— Ce qu'on perd d'un côté on le gagne de l'autre», commenta Gail.

La queue avait lentement progressé et elles se trouvaient maintenant tout près de la devanture. A travers la vitre, on pouvait voir Thomas Farewell, coiffé d'un canotier, creusant de larges sillons dans de la poitrine de porc.

« Voilà pourquoi je fais mes courses ici, dit Mrs. Saddington. Il se donne du mal et il s'estime pas offensé quand il vous vend du mou pour le chat. La plupart maintenant, si on prend pas du filet de bœuf, ils vous regardent de haut. »

Gail faisait la grimace devant un assortiment de côtelettes, disposées en cercle, dans tout l'éclat de leur roseur naturelle.

« Y a pas à dire, fit-elle, je préfère aller au supermarché, c'est plus hygiénique. Regardez-moi ce lapin pendu là-haut, c'est dégoûtant, il a du sang qui coule du museau.

— La viande de supermarché, elle vaut rien, décréta Mrs. Saddington avec majesté. Leur jambon c'est pas du jambon, mais de vilaines tranches de viande de porc humide remoulée en un bloc. Thomas Farewell, lui, il vend encore le jambon à l'os.

— Mais à quel prix ! fit Mrs. Greenidge.

— De nos jours, la viande c'est un vrai scandale, continua Mrs. Saddington. Y a plus de graisse et elle est dure comme de la semelle. La viande doit être marbrée, pour moi, c'est ça le prégraissé !

— Là je vous suis plus, intervint Denise, la viande maigre est saine. On mange tous trop de graisse.

— Parlez pour vous, dit Mrs. Saddington. Plus personne ne sait cuisiner comme il faut. »

Elles étaient à présent à l'intérieur de la boutique. Sur leur gauche, contre le mur, il y avait une petite pile de boîtes d'œufs frais, pondus par les poules naines que Thomas Farewell élevait dans son arrière-cour. Susan était chargée de les nourrir et de ramasser leurs œufs, en marquant soigneusement la date au crayon sur la coquille. Simple retour des choses puisqu'elle l'avait bassiné avec la description horrifique d'un élevage en batterie que leur avait donnée miss Stackpole, l'institutrice : les volatiles, dépourvus de bec, se trouvaient précipités en rangs serrés dans la salle de la Mort où des lames automatiques leur tranchaient le cou, sans parler de l'efficacité vampirique du tunnel du Sang. Aux yeux de Thomas, cette femme semblait bien capable d'en faire le but d'une sortie scolaire. Vingt ans auparavant, il avait suivi les traces de son père, abandonnant l'école et reprenant la boutique. Ça ne l'avait pas du tout dérangé alors, c'était de bon rapport; et voilà qu'à l'âge mûr lui venaient des états d'âme.

«Deux côtelettes d'agneau et des belles!» lui commanda la vieille Mrs. Saddington d'un air si désagréable qu'il ne se sentit plus en sécurité derrière son propre comptoir.

Le jour des vacances de Noël, Susan Farewell avait raccompagné Bryony Growcott sur cinq cents mètres, puis, s'armant de courage, l'avait retenue par la manche en lui tendant son cadeau. Bryony avait d'abord paru ravie. C'était un livre sur le langage des plantes et des fleurs, intitulé *Pensées vertes*. Susan, soulagée et souriante, regarda Bryony le feuilleter, soudain bavarde.

«J'aurais aimé m'appeler comme toi, dit-elle, ou bien Viola ou encore un autre nom aussi intéressant. Ton nom se trouve dans le livre, Bryony.»

Cette dernière se reporta à la lettre B et découvrit que la bryone ou couleuvrée, d'où on avait tiré son prénom, était la célèbre mandragore dont la racine, taillée en forme de fœtus, était un charme qui rendait les femmes fécondes ; et que son nom en dialecte du Dorset signifie Arrêt de mort, suite à la toxicité de ses baies. Elle referma le livre d'un coup sec en disant merci.

« Je l'ai choisi spécialement pour toi », ajouta Susan en adoration.

Quelque temps plus tard, Susan assistait entre ses parents à la messe de minuit à St. Lawrence ; appuyée languissamment contre son père, elle mordillait le bout de sa couette de ses dents de lapin. Ce dernier chantait d'une voix tonitruante *Tandis que veillaient les bergers*, ce qui la faisait glousser. Ne craignez rien, leur dit-Il, car une immense frayeur s'était emparée de leurs esprits égarés.

Pendant le sermon, elle resta assise à regarder la fresque médiévale qui couvrait la courbure du chœur jusqu'aux poutres du toit. C'était un Jugement dernier du XIVᵉ siècle, restauré récemment : on l'avait masqué, à l'époque de Cromwell, d'une couche de chaux. Les enfants du village ne pouvaient détacher leur regard de ses cruautés vigoureusement retracées ; et tandis que leurs parents avaient les yeux fixés sur le pasteur en chaire, eux demeuraient le nez en l'air. Tout en haut, on pouvait voir une petite frise de Paradis tristounet, où il ne se passait pas grand-chose ; la surface restante, par contre, était consacrée aux tourments de l'Enfer. De petites silhouettes humaines nues, la bouche tordue par un hurlement, y subissaient flagellation et démembrement à divers stades. Leurs tortionnaires, démons réjouis aux ailes reptiliennes, munis de crocs, de cornes de bouc et de serres de vautour, maniaient avec une extraordinaire ingénuité hachettes, tenailles, broches et longs épieux armés d'un crochet. Au moins, disaient les parents, ça faisait tenir les enfants tranquilles.

Le pasteur prolongea l'office jusqu'aux environs de deux heures du matin, prenant un malin plaisir à punir ses ouailles, déclara à la sortie la mère de Susan de fort méchante humeur, de ne pas y assister le reste de l'année. Quand ils rentrèrent, Judith ronflait à tue-tête depuis plusieurs heures, couchée près du petit lit où William, roulé en boule, suçait son pouce minuscule.

« Ça fait drôle d'avoir un arbre dans sa maison, tu trouves pas, pa' ? dit Susan tout en l'aidant à mettre la table, le lendemain. Il y a le papier peint, la télé, tout le confort moderne et puis on fait rentrer ce truc de la nature. T'vois c'que j'veux dire ?

— C'est un peu comme si on allumait un feu de camp près de son fauteuil ou encore comme si un chien-loup sauvage dévalait l'escalier, dit Thomas. Je vois exactement ce que tu veux dire. »

Là-bas, dans la cuisine, Valérie avait préposé Judith au tri d'un gros tas de choux de Bruxelles, dont elle devait inciser d'une croix le pédoncule. Quant à William, il mâchouillait, l'air apathique, le bord de son Tapis d'Eveil.

« Tu aurais dû les faire blanchir, dit Judith.

— J'arriverai jamais à voir l'intérêt de faire cuire les légumes trente secondes, répliqua Valérie.

— Ça bloque l'action des enzymes, expliqua Judith, et ça préserve leur fraîcheur. Ces choux, tiens par exemple, qui sont plus des primeurs, si tu les avait fait blanchir, ils auraient été très bien.

— Tu viens d'inventer ça rien que pour m'embêter. Toi et ton bac biologie, tu parles. Je comprends pas pourquoi tu pouvais pas choisir quelque chose d'utile comme une seconde langue.

— Tu veux pas admettre que les fruits et les légumes continuent à respirer jusqu'à ce qu'on les mange, si on les fait pas cuire. Vaut mieux pas le dire à Susan, elle se laisserait mourir de faim.

— Oh, ça lui passera», dit Valérie d'un ton sans réplique.

Depuis trois semaines, Susan avait refusé de manger avec le reste de la famille. Elle s'était octroyé la moitié d'une étagère du placard à provisions, où elle avait disposé des pots à café remplis de légumineuses diversement colorées — pois carrés argentés, lentilles, flageolets vert jade, haricots noirs, haricots rouges — à côté de dizaines de boîtes de gratin de macaroni en conserve.

Cette année-là, chez les Farewell, il y eut trois repas de Noël bien distincts. D'abord, l'assiettée de haricots de Susan, craquant dangereusement sous la dent, car elle était encore inexperte en matière de cuisson (des haricots comme du reste). Puis le Festin hawaiien, bouillie minute au riz et à l'ananas, qu'administra Valérie à William dans sa chaise haute, la cuiller à thé entrechoquant de temps à autre l'extrémité perlée des deux petites pierres tombales qui se faisaient concurrence depuis dix jours au centre de sa gencive inférieure. Enfin, la dinde, cuite avec soin, tendre, volumineuse comme un colis enveloppé de papier kraft, dont le couteau à découper de Thomas avait mis à nu la moitié de la carcasse.

Susan se mit à renifler comme Judith entreprenait de mordre à belles dents dans le pilon gauche.

« Arrête ça tout de suite ! lui intima Judith, indignée et la bouche pleine.

— C'est de la chair morte, gémit Susan, c'est trop cruel.

— Mais elle a été élevée en basse-cour, dit Thomas.

— Comment tu peux être boucher, pa' ? dit Susan en pleurant. Je t'aime, moi.

— Susan, si tu n'arrêtes pas immédiatement, tu vas me faire le plaisir de filer dans ta chambre, dit Valérie. Tu nous gâches la fête à tous.

— Haut les cœurs, fifille, dit Thomas en essuyant les larmes de Susan avec son mouchoir. Mouche ton nez et fais-nous risette. »

Roger Saddington boudait. Il détestait Noël. Sa mère n'avait pas cessé de toute la journée de lui dire de se moucher, de ne pas roter (même discrètement) et même de ne pas sucer son pouce, tout en l'empêchant de se réfugier dans sa chambre. Il mourait d'envie de jeter un œil sur les photos de Harley Davidson dans le dernier numéro de *Walhalla*, qu'il avait caché sous le tapis près de sa commode. Il ne lui avait pas encore pardonné de l'avoir obligé à se tenir tranquille dans son bain la semaine dernière pendant qu'elle l'étrillait du haut en bas. Il avait omis de se débarbouiller, comme d'habitude, après son travail, et était rentré recouvert d'écarlate jusqu'au coude, cheveux et cils perlés de sang, dans l'espoir de terrifier les enfants revenant de l'école.

«Je vais t'arracher la peau, avait-elle glapi. Monte immédiatement!»

Elle s'était escrimée sur les tatouages de ses avant-bras poilus (la Camarde et des chapelets de têtes de mort) avec une fureur non déguisée. Elle lui avait interdit d'aller au *Sanglier bleu* jusqu'au jour de la Saint-Etienne, le lendemain de Noël. L'idée de retourner dans un pub lui remonta le moral. Peut-être pousserait-il un peu plus loin en moto, jusqu'à celui de *L'Aigle et l'Enfant*, ou même au-delà, quelque part où on ne le connaissait pas, avec en poche cet œil de porc qu'il gardait dans la boîte d'appâts pour la pêche sous son lit. Les gens avaient un mouvement de recul quand on balançait un œil sur le bar. On pouvait les voir qui se disaient : «Vaut mieux que je me gaffe de lui.»

«Redresse-toi! fit la vieille Mrs. Saddington, apportant le pudding orné de sa feuille de houx en plastique et la crème anglaise Igloo.

— La Reine fait son discours à la télé!»

Mrs. Saddington n'était pas aussi vieille qu'elle en avait l'air. Elle n'avait que soixante et onze ans, mais ne souriait jamais. Roger était son seul enfant. Il était né à sa grande surprise et épouvante quand elle avait quarante-trois ans. Comme on disait au village, elle le menait d'une main de fer : fort heureusement d'ailleurs.

Dans le petit appartement qu'il occupait au-dessus du poste de police de Barwell, Guy Springall retira le poulet congelé de son emballage plastique et entreprit de le sécher avec un torchon. Là-bas, à Matlock, ses parents avaient attrapé les oreillons et, comme à vingt-deux ans il était encore célibataire, il s'était porté volontaire pour le maximum d'heures supplémentaires à Noël. Incapable de trouver le récipient adéquat, ne s'apercevant pas que les abattis garnissaient la cavité centrale, il alluma le four et installa la volaille plumée à même les barreaux du gril. Jusque-là, il ne s'était jamais aventuré au-delà des plats cuisinés sous vide, mais il se sentait lié par le devoir de «faire un vrai repas», après le coup de téléphone pathétique, impérieux et asthmatique de sa mère pour annuler le réveillon. Pendant qu'il lisait *Watership Down*, en espérant que le poulet serait bientôt prêt car il mourait de faim, la volaille imparfaitement décongelée s'était mise à grouiller de bactéries saprophytes. Au bout de trois quarts d'heure, il décida qu'elle était assez dorée pour la manger et la dévora en bâfrant. Il n'avait pas pensé aux légumes, aussi avala-t-il le poulet presque entier, en sauçant le reste du pain dans son jus riche en salmonelles. Puis il alla s'allonger pour la sieste, espérant tuer le reste de l'après-midi en rêvant de Bryony Growcott.

Cette dernière observait le plus réprobateur des silences, assise face à son père, qui était au comble de l'allégresse la plus sauvage. George Thurkle coupait des tranches de terrine de lapin, qui constitueraient l'entrée de leur repas. Et le Dr. Growcott poursuivit le récit du sort qui leur était réservé.

«Vous n'êtes pas sans savoir que l'estomac possède des parois musculaires très résistantes qui pressurent et barattent la nourriture, à l'aide des enzymes et des sucs gastriques, énonça-t-il. Puis son sphincter s'ouvre et déverse la bouillie du chyme dans le duodénum. »

Delphine souriait poliment ; ses yeux papillotaient. Growcott reprit une lampée de chablis. Thurkle décréta qu'ils pouvaient commencer ; et c'est avec le large sourire d'un fauve attendri qu'il regarda sa femme étendre le pâté sur un toast et le manger.

« Et bien sûr, une fois au fond de ce bon vieux duodénum, le pauvre petit lapin fait finalement le grand saut dans le flux sanguin, poursuivit Growcott. C'est délicieux, George. Plus de fumet que d'habitude, non ? Je reprends : car, à ce moment-là, il a été réduit en molécules mini mini qu' achèvent de désintégrer les pores tout petits petits de la paroi intestinale, qu'on appelle les cryptes de Lieberkühn. Joli nom, pas vrai ? On se croirait dans un roman noir gothique. Alors c'est parti, *wouch* dans le sang, direction le foie, et avant d'avoir pu dire ouf ce lapinou est devenu une partie de soi. Quelque chose ne va pas, Bryony ? Tu as le teint bien verdâtre.

— Dis-moi ce que tu manges, je te dirai qui tu es, dit Thurkle en grimaçant. J'attends ce printemps de mignons agneaux de North Ronaldsay nourris aux algues et je vous garantis que ce seront de vrais prés-salés. »

Comme plat de résistance, Thurkle avait fait bouillir la tête de sa deuxième truie qu'il avait salée, désossée, assaisonnée d'épices et glacée au jus de viande ; il l'avait fendue, gardant la peau du haut du crâne intacte mais ôtant les yeux, les oreilles et le groin ; puis l'avait remodelée avec des pruneaux en guise d'yeux et des branches de céleri pour babines, lui calant une pomme reinette dans la bouche. Delphine regardait avec inquiétude Bryony, qui gardait le nez baissé sur son assiette.

« Bon sang ! claironna Growcott. Une pure merveille !
Et avec des châtaignes et des *spätzle* ! Je dois dire que
j'ai été dégoûté à tout jamais de la dinde après avoir lu
qu'un dindon en colère avait arraché les bijoux de famille
de Boileau quand il était haut comme trois pommes. C'est
pourquoi il a écrit des choses si méchantes sur les femmes, vous étiez au courant, ma chère ? ajouta-t-il, se tournant, faussement courtois, vers Delphine.

— Tu as découvert quelque chose sur la consomma-
tion de chair humaine au cours de tes recherches ?
s'enquit Thurkle, bredouillant légèrement.

— Elle est sensée avoir le même goût que le porc, fit
Growcott d'un air songeur. Elle a à peu de chose près
la même consistance. Bien sûr, il y a ce fameux passage
de *Candide* où des Turcs assiégés se nourrissent des fesses coupées en tranches des chrétiennes qu'ils détien-
nent en otages. Vous devez sûrement vous en souvenir, Delphine. L'une de ces pauvres femmes se plaint
par la suite d'un relatif inconfort quand elle fait du
cheval.

— Comment les avaient-ils cuisinées ? insista Thurkle.

— Voltaire ne précise pas.

— En cassoulet, je suis prêt à parier. Pas toi ? Avec plus
de haricots que d'habitude. Ou bien en boudin.

— En fait, le gras du bras serait le meilleur morceau,
à ce qu'on dit. »

Bryony se leva, renversa le contenu de son verre, et
quitta la pièce.

« Ma fille a du sang de navet dans les veines », fut le
seul commentaire de Growcott.

Delphine marmonna quelque chose et se lança à ses
trousses, en se dandinant. Growcott tendit la main vers
une autre bouteille.

« Aux amies absentes, dit-il, levant son verre.

— Aux amies absentes », ronronna Thurkle, lorgnant la terrine vide sur la desserte.

5

« A lors qu'est-ce qui ne va pas, Mrs. Saddington ? lui demanda le Dr. Growcott.
— C'est vous le docteur, docteur ; c'est à vous de me le dire », répondit-elle.

Il faillit lui bâiller en pleine poire à cette vieille noix, dont il avait dû entendre les bobos des centaines de fois depuis qu'il exerçait.

Le Nouvel An avait commencé cahin-caha avec son contingent habituel de victimes du réveillon de Noël, de virus inidentifiables et de morosité générale. Guy Springall avait passé plusieurs jours à l'hôpital de Stokeridge pour intoxication alimentaire et Susan Farewell l'avait suivi de près. Growcott savoura un instant le souvenir de sa mine crayeuse, tirant sur le vert comme un arum, sa petite couette posée comme un gros ver jaune sur l'oreiller, le long de son cou.

A Mrs. Saddington et ses jambes enflées, succéda Mr. Greenidge, le dernier rendez-vous de la journée. Il fut assez malchanceux pour trouver le docteur au comble de l'espièglerie et de l'ennui ; en effet, l'ennui provoquait chez Growcott un sens de l'humour particulièrement cynique.

« Comment vont les boyaux, Mr. Greenidge ? chantonna-t-il en réglant les stores vénitiens. On est *allé* aujourd'hui ? »

Le véritable problème de Mr. Greenidge était une hypertension due à l'obésité, à son paquet de cigarettes quotidien et à l'absence d'exercice. Lui en parler aurait été en pure perte, ausssi le Dr. Growcott décida de tuer le temps de la consultation en lui prenant la température par-derrière, à la française.

« On baisse son pantalon, lui ordonna-t-il en secouant joyeusement le thermomètre.

— Est-ce vraiment nécessaire, docteur ? s'exclama Mr. Greenidge, horrifié.

— La température rectale est plus exacte que la température buccale », précisa Growcott avec un petit sourire, se disant *in petto* « en voilà un qui ne reviendra pas de sitôt. »

C'était grâce à cette méthode, bien sûr, que les choses avaient démarré avec Delphine. Elle était loin d'être aussi grosse en ce temps-là, quand elle était venue à son dispensaire pour lui demander conseil, préoccupée par son foie, cette étrange manie hexagonale, et il avait été saisi de la curiosité de voir à quoi ressemblait son derrière, à elle. De fil en aiguille, une chose en avait entraîné une autre, mais ça n'avait duré qu'un peu plus d'une semaine et n'avait rien représenté pour aucun des deux ; ça n'avait même pas été embarrassant de se revoir depuis. Idéal, en fait. Une curiosité satisfaite et ce bon vieux George ne se doutant de rien. Si seulement la petite bécasse dont il était empêtré en ce moment pouvait se montrer aussi raisonnable.

Une fois Mr. Greenidge reparti chez lui d'un pas traînant, Growcott prit sa voiture et roula le long de petites routes feuillues et dégoulinantes, jusqu'au rond-point de Thackstead où se voyait le panneau tropical, signalant le complexe de loisirs du Récif de Corail. Il avait besoin d'une bonne séance de gym après une journée pareille. En se déshabillant, il se sentit pétiller d'agressivité ; il jeta un œil sur ses jambes élancées et ses mollets à la pilosité excitante, se frappa le ventre, dur comme une planche à lessive, et fit jouer ses biceps pour les voir se bomber comme un œuf. Il se précipita d'un bond dans la salle pour son échauffement de routine, sans négliger les précautions d'usage. Rien de pire que de se déchirer un tendon.

La salle de gym était bondée. Les quatorze vélos d'entraînement étaient occupés et ce coin-là, puant la transpiration et l'embrocation, ruisselait de gouttelettes de sueur, un vrai foyer d'infection. Les bicyclettes, rangées ainsi en masse compacte, évoquaient une charge de cavalerie bizarrement statique, et ceux qui les chevauchaient, le regard perdu au loin, les cavaliers de l'Apocalypse.

Growcott s'imposa une série d'abdos sur le tatami central, puis, à bout de souffle, se mit à croupetons pour laisser à la vapeur rouge qui lui brouillait la vue le temps de se dissiper. Un peu plus loin, il aperçut Roger Saddington, lèvres retroussées, paupières crispées, s'escrimant sur le Super Pullover pour faire atteindre de nouveaux sommets à ses deltoïdes postérieurs et petits pectoraux. Le dos de son débardeur était marqué d'une croix de sueur, le long de la colonne vertébrale et des omoplates. C'était miraculeux qu'avec un tel paquet de muscles il puisse encore bouger. Growcott gagna les appareils de musculation et s'installa à la machine à Butterfly, celui qu'il préférait ; et tandis qu'il s'exerçait, son visage se tordit en un rictus de supplicié. Il mit à profit l'accalmie toute relative de la poulie à triceps pour observer le vieux Talbot ; et à le voir peinant sur le rameur comme un galérien, la tête empourprée jusqu'au cou sous l'effort, il se remémora l'une de ses lectures de la semaine écoulée : un passage de la recette du *canard à la rouennaise* décrivant la manière d'étrangler le canard pour qu'au beau milieu de la cuisson on puisse en exprimer le sang pour l'incorporer à la sauce.

Thurkle ouvrit le robinet d'eau froide autour duquel il avait enfilé par un bout le duodénum, qu'il découpa ensuite en tronçons et piqua de trous. Il préparait du boyau à saucisse. Quand il en eut dix mètres environ, il jugea que ça lui suffisait pour les trois kilos et demi de viande qui restaient sur la table. Il passa au hachoir le gras et le maigre plutôt deux fois qu'une et ajouta noix muscade, zeste de citron, sauge et marjolaine à la seconde fournée. Puis il saisit un gros morceau de graisse, qu'il avait mis de côté, et l'examina à la lumière avec un sourire mignard avant de le hacher menu en fragments de la taille d'un pois, qu'il ajouta à la chair à saucisse.

Au moment de farcir le boyau de la préparation susdite, tâche qui, impliquant un bourrage intensif avec le manche d'une grande cuiller en bois, combinait de façon unique mortel ennui et suggestivité obscène, lui revint en mémoire la conversation qu'il avait eue le matin même avec Thomas Farewell. Ils ne voyaient plus l'intérêt de se spécialiser dans le sanglier, envisageant plutôt l'élevage à petite échelle de porcs fermiers. Les clients de Farewell, semblait-il, lui posaient de plus en plus fréquemment des colles sur la généalogie et la comestibilité de sa viande.

«Encore du porc?» s'écria Growcott, passant la tête à la porte. Il rayonnait insolemment de sa bonne mine postgymnique.

«Tu es d'une gloutonnerie à toute épreuve, George. Où l'as-tu déniché cette fois? Je croyais que tu en avais fini depuis longtemps avec Santé et Prospérité.

— On est à peine à la moitié de la saison du porc», répliqua Thurkle sur la défensive. Il n'attendait pas de visiteurs. «Les saucisses, y en a jamais trop.

— Non, en effet, dit Growcott, éclatant de rire. Je t'en achèterai autant que tu m'en laisseras. Je peux pas avaler ces sauciflards bourrés de chapelure que vend Farewell. Quelle est cette merveilleuse odeur?

— Ma spécialité de ce soir. Un cassoulet monstre : flageolets d'Arpajon, confit d'oie, andouilles, le grand jeu. Ça te plairait d'y goûter?

— Rien qu'un bol alors», fit Growcott avec avidité.

Et ils s'attablèrent de concert pour un petit dîner de bonne heure, au milieu des résidus de la fabrication des saucisses.

On frappa à la porte de service et Bryony glissa la tête par l'entrebâillement.

«Où est Delphine? demanda-t-elle, ignorant son père.

— Elle est rentrée en Hollande, répondit Thurkle, la bouche pleine. Sa mère est malade.

— Sans me dire au revoir! s'exclama Bryony d'un ton

incrédule. Elle aurait pu me prévenir. Je devais prendre un cours de diction ce soir.

— Ça s'est fait très brusquement, dit Thurkle. On l'a appelée au milieu de la nuit. »

Deux réservations, ce soir-là, firent tiquer Thurkle, qui se tapota les dents de son stylo-bille. Kenward, une table pour deux, à huit heures et demie. Donc ils étaient enfin rentrés de Provence. On allait lui faire quitter ses fourneaux pour un tête-à-tête où l'on vanterait les mérites des pâtés de grive faits maison et autre confiture de pastèque. Il se rembrunit. Et Hossenlop. Des Américains, sans doute. Cet article du magazine *Gourmet* commençait à rapporter des dividendes.

Il était en train de mettre la dernière main à son *beurre blanc* quand Alan, le maître d'hôtel, surgit dans son dos.

« La table cinq pose des questions, chef.

— Quel genre de questions ?

— Des questions auxquelles je ne peux pas répondre, chef. Concernant les animaux, je crois. »

Thurkle jura copieusement et acheva sa sauce avant de pousser d'un coup d'épaule les portes battantes, faisant irruption dans la salle du restaurant. Les Hossenlop, éclairés aux chandelles, étaient assis à la table cinq, là-bas dans le coin, près des tentures vert sapin. La femme, maigre, la peau tannée, avait des cheveux jaune paille coiffés en chignon et le regard étincelant d'une dure à cuire. Son mari, un tantinet plus vieux et plus gras, l'air courtois et bénin, était le digne représentant du Bostonien en Europe.

«Excusez-nous, chef, de vous avoir arraché à votre antre bouillonnant de créativité, fit la sémillante Mrs. Hossenlop, avec un léger accent traînant du Sud. Mais nous voulions l'apprendre de votre propre bouche, car nous avons cherché vainement l'origine sur le menu.

— L'origine de quoi? demanda Thurkle.

— Ma femme aimerait avoir des détails sur la provenance de la cuisine que vous servez, expliqua Mr. Hossenlop.

— Le cassoulet Colombié, par exemple, dit Mrs. Hossenlop.

— C'est un plat languedocien, répondit Thurkle, à base de porc, d'oie, de mouton et de haricots blancs...

— Non, non! s'écria Mrs. Hossenlop. Nous connaissons bien la *cuisine du terroir**. Ce que nous voulons savoir est simple : pouvez-vous nous donner des précisions sur les donneurs de viande?

— Les quoi?» fit Thurkle, abasourdi.

Les Hossenlop échangèrent un coup d'œil.

«Nous sommes conscients que nous devons nous attendre à rencontrer une certaine hostilité à ce propos en Europe, reprit Mr. Hossenlop; mais pour ma femme comme pour moi, c'est une priorité absolue que de connaître les tenants et les aboutissants de toute créature animale que nous comptons consommer. Son élevage s'est-il effectué hygiéniquement?

— Sa chair est-elle dépourvue d'hormones et d'antibiotiques? intervint Mrs. Hossenlop.

— Comment l'a-t-on nourrie? Comment l'a-t-on abattue?

— Comment l'a-t-on abattue? répéta Thurkle.

* En français dans le texte.

— Il ne s'agit pas ici d'une curiosité sans objet, voyez-vous, cher Mr. Thurkle, dit Mr. Hossenlop. Sans parler des raisons humanitaires, nous espérons rehausser en qualité nos expériences gustatives. La viande d'un animal abattu sous l'empire de la terreur est toujours d'une dureté à toute épreuve ».

En dehors de ses heures de classe, Bryony passait le plus clair de son temps seule. La disparition de Delphine ne fit qu'accroître cette solitude. Son père courait sans cesse par monts et par vaux à quelque rendez-vous galant dans sa nouvelle voiture. Bryony ne savait pas conduire ; et de toute façon il ne lui aurait pas prêté son véhicule. Alors elle demeurait là à lire, à réfléchir et à échanger une correspondance passionnée sur le plan intellectuel (concernant surtout les droits des animaux) avec son amie de Camden. Puis elle sortait se promener dans le bois de Shorter, traînant les pieds dans la couche de feuilles en décomposition.

Roger Saddington se rendait à son travail quand il aperçut la fille du docteur tourner dans le sentier en pente qui menait sous le couvert des arbres. L'abattoir se trouvant de l'autre côté du bois de Shorter, il décida de prendre un chemin plus buissonnier que d'habitude, dans l'espoir de lui faire un brin de causette.

Il se déplaçait plutôt silencieusement pour un individu aussi mastoc et Bryony ne l'entendit pas approcher — les arbres bruissaient et dégouttaient comme des pleureuses. Elle réprima un sursaut quand il lui emboîta le pas.

«Désolé de vous avoir fait peur, fit Roger l'air content de lui.

— Pas grave», répondit Bryony, qui se mit à réfléchir à toute vitesse. Ça faisait un certain temps maintenant qu'elle essayait de trouver le moyen de s'introduire dans l'abattoir. Des repérages préliminaires ne lui avaient révélé que ce que tout un chacun pouvait observer, à savoir que son aspect extérieur inoffensif n'était dénoncé par aucun panonceau et qu'un grand mur de briques surmonté de tessons de bouteilles et de rouleaux de fil de fer barbelé l'entourait.

«Viande égale Carnage, gloussa Roger. Les animaux vous brancheraient pas tant si vous les connaissiez mieux.

— Et vous en savez vraiment plus long que moi?» lui demanda Bryony, tâchant d'adopter le ton du flirt et ne réussissant qu'à paraître ridiculement espiègle. Roger se sentit grandement encouragé.

«Prenez les cochons, par exemple, dit-il avec sérieux. Ils sont dégueulasses. Ils écrabouillent exprès leurs petits et puis ils les mangent. J'ai failli me faire arracher le bras par une truie l'an dernier.

— Racontez-moi encore, fit Bryony, les yeux baissés sur les feuilles mortes, pendant qu'ils continuaient d'avancer.

— Ce sont de vrais cannibales, lança Roger avec vantardise. Y a qu'à les lâcher tous ensemble et, en deux temps trois mouvements, ils ont commencé à se bouffer la queue et le reste. Je l'ai vu de mes yeux.

— Et vous avez perdu combien d'hommes à l'abattoir de cette manière?» demanda Bryony, avec une moue calculée; c'était la première fois qu'elle s'y essayait et elle se sentit comme une poupée mécanique. Le plus étrange était que Roger semblait trouver ça tout à fait excitant.

« C'est pas un job de mauviettes », marmonna-t-il, glissant un bras autour de sa taille et lui palpant les fesses au passage. Bryony se gendarma pour ne pas se braquer.

« Vous m'emmènerez y faire un tour ? murmura-t-elle. J'aimerais tellement voir ça.

— D'accord », dit-il. Il s'arrêta et lui fit face. « Si tu m'embrasses. »

Elle s'aperçut qu'ils se trouvaient à présent au milieu du bois. Elle sentait son cœur battre à grands coups. Elle n'était pas certaine de ce qu'il entendait exactement par « embrasser », mais elle raffermit sa résolution; son visage et sa voix se radoucirent.

« Marché conclu », fit-elle.

Il la souleva de terre et l'étreignit vigoureusement, collant lascivement son bas-ventre au sien en lui fourrant sa langue dans la bouche. Glacée de dégoût, elle s'efforça de garder son sang-froid, de rester détachée et, comme elle se l'était déjà dit dans une ou deux situations analogues, absolument pas concernée. C'est alors qu'à son grand étonnement elle sentit une chaleur inconnue lui courir sous la peau, ses hanches se frotter contre celles de Roger et sa langue répondre en se nouant vivement à sa langue à lui.

« Hé, hé, fit-il admiratif, en reprenant une bouffée d'oxygène.

— Posez-moi par terre maintenant et montrez-moi l'abattoir », s'écria-t-elle en le repoussant, le feu aux joues, horrifiée.

Il tint sa promesse.

Au travers d'une brume sanguinolente, elle distingua les silhouettes sanglées de tabliers de caoutchouc. Ces tenailles géantes étaient d'authentiques crochets de boucherie, lui souffla Roger. Les cochons, étourdis, glissaient, pendus chacun par une patte de derrière, jusqu'à l'endroit où les attendait le couteau ; puis, leurs corps se contorsionnant toujours, gagnaient à la queue leu leu la cuve d'eau bouillante. «J'vous avais dit que c'était pas un job de mauviettes», beuglait fièrement Roger. Sa voix était noyée dans le fracas cliquetant, le bruit de ferraille des chaînes s'accouplant et se désaccouplant, le crépite-ment des lances à eau et les cris stridents qui déchiraient continuellement ce vacarme.

Sur l'eau noire de la cuve flottaient les cochons morts, vidés de leur dernière goutte de sang, l'œil révulsé. Il y avait dans cette salle une vapeur saturée de sang et Bryony fut saisie d'un haut-le-cœur.

«Ensuite on leur arrache les onglons et on les étripe», ajouta Roger, aux anges.

Une fois revenue à l'air pur, dans le tranquille bois de Shorter, Bryony s'appuya au tronc d'un laurier pour vomir. Roger la regarda s'essuyer la bouche avec une poi-gnée d'herbe.

«A dada sur mon bidet ! » fit-il. Elle tenta de lui échap-per, mais il la chargea sur son dos comme un sac. Ils s'enfoncèrent en titubant entre les arbres et il se tint tran-quille un moment. Puis il remit ça.

« T'as déjà vu les porcs s'accoupler ? demanda-t-il, fai-sant le joli cœur, par-dessus son épaule. Ils prennent leur temps. Une demi-heure, quelquefois, le verrat y reste dedans. »

Bryony examina la possibilité de lui griffer les yeux ou de s'accrocher au passage à une branche, mais il lui serrait les jambes autour de sa taille en un tel étau qu'elle ne pourrait jamais se libérer, même en se débattant, tant qu'il la porterait de la sorte.

«Encore une drôle à propos du verrat, reprit Roger. Et de son braquemart. Désolé, mesdames, mais je suis trop ignorant pour connaître le mot convenable. Eh bien, il a le bout du — machin — en tire-bouchon. Du coup, la truie, quand il la tringle, il la tire pour de bon, si tu vois ce que je veux dire. »

Il partit d'un rire tonitruant qui agita les boucles brunes du sommet de son crâne sous le nez de Bryony. Et il rit encore et encore. Puis il la laissa choir dans les feuilles et posa un pied sur son ventre, commençant à batailler avec la fermeture Eclair de sa braguette. Elle lui saisit la cheville et, relevant le bas de son jean, planta ses dents dans le gras de son mollet poilu, mordant à travers la chair jusqu'au tendon d'Achille. Elle avait beaucoup de force dans les mâchoires ; poussant un cri perçant, il la rejeta loin de lui pour vérifier les dégâts.

Là-dessus, Bryony fila. Légère, ayant de longues jambes et du souffle, elle était entraînée à la course. Roger, non. Il se lança bien à sa poursuite, pataudement, à travers le sous-bois, mais abandonna, comme elle s'y était attendue, un peu avant d'atteindre le sentier qui débouchait dans la grand-rue.

Ce soir-là, Bryony se claquemura dans sa chambre et se glissa en rampant sous son lit pour s'y recroqueviller en boule. Le coup de pied que lui avait lancé Roger avait ébranlé l'une de ses dents de devant et elle la fit remuer pensivement. Tout bien pesé, elle décida, à sa grande surprise, que l'événement le plus choquant de l'après-midi avait été sa réaction lors de ce contact buccal.

6

Valérie encercla du pouce et de deux doigts de la main droite les chevilles de William, et lui souleva les jambes en l'air.

« Tu lui as donné beaucoup trop de bananes, dit-elle, le nettoyant d'un geste expert avec de l'ouate humide.

— Comment tu le sais? demanda Judith.

— A l'odeur et à la couleur. Et à ces petits fils noirâtres. Tu es vraiment une grosse flemmarde, Judith. Tu te donnes même pas la peine de lui réchauffer sa nourriture.

— Pa' m'a dit d'arrêter de lui donner du bouillon Kub.

— Mais pas d'arrêter de lui donner de tout le reste », insista Valérie, en s'échauffant.

Elle le sécha en le tamponnant avec un torchon. William, sur le dos, gazouillait, un pied dans chaque main, riant aux éclats, sans vergogne. Valérie l'examina de plus près.

« Il m'a tout l'air d'avoir un début d'irritation. Mieux

203

vaut le laisser à l'air. Surveille-le pendant que je mets le déjeuner en route. Et si je te dis de le surveiller, c'est pas pour du beurre. »

Valérie se rendit à l'autre bout de la cuisine tout en longueur et prit des pommes de terre dans un bac.

« Tu peux faire des frites ? demanda Judith.

— Susan est rentrée d'habitude à cette heure-ci », fit remarquer Valérie.

Elle avait fait l'amour la nuit précédente, mais la bonne humeur qui en était résultée s'éloignait à tire-d'aile. En plus, elle n'ignorait pas qu'elle n'avait pris aucune précaution, mais se rassurait en pensant qu'elle approchait de la quarantaine.

« Non, je peux pas faire de frites.

— Mais c'est samedi ! s'écria Judith indignée.

— Et tu frises les quatre-vingts kilos », lui assena Valérie.

Quarantaine ou pas, quelque part en elle, à une heure six minutes du matin, un noyau mâle avait fécondé un noyau femelle ; tous deux avaient fusionné ne formant plus qu'une cellule unique, qui s'était bientôt divisée à nouveau en deux — à la différence près, cette fois, que chacune contenait une part égale des deux individus qui l'avaient conçue — pour se rediviser encore une fois en deux, et une fois encore.

« Si elle ne rentre pas bientôt, fit Valérie, elle va encore dire qu'elle n'a pas le temps de déjeuner avant le passage du bus.

— De toute façon, elle a rayé de sa liste le poisson pané, dit Judith. *Les poissons ont autant le droit de vivre que nous. Qui nous a dit qu'ils ne souffrent pas ?*

— Quand est-ce qu'elle a dit ça ? demanda Valérie, exaspérée, lâchant son économe et jetant un regard noir à Judith.

— Hier au soir, quand on regardait à la télé un reportage sur l'élevage des saumons.

— Je l'oblige pas à manger du saumon ! s'exclama Valérie. Bon sang, c'est rien d'autre que de la morue ! Et encore ! Si elle blackboule le poisson pané, je saurai plus quoi lui faire.

— Pourquoi tu demandes pas à la cheftaine des Pies-Grièches de lui en toucher un mot ? fit Judith.

— Parce que, elle aussi, c'est une de ces végétariennes de merde ! Si tu crois que j'ai pas essayé ! dit Valérie. Et arrête de faire ça, tu vas lui filer un complexe ! »

Judith tripotait machinalement le pénis minuscule de William.

« Faut le fourrer dans une couche alors, fit-elle. J'ai pas envie qu'il fasse tout sur moi.

— D'habitude, elle met pas tant de temps quand elle va chez Mélanie », dit Valérie, lui lançant une Pamper's à travers la pièce.

Thurkle était venu chercher en urgence un sac d'os de veau. Thomas Farewell confia le magasin à ses deux apprentis pendant qu'il les préparait, puis s'octroya une pause de dix minutes autour d'un café dans l'arrière-boutique. La conversation tomba irrésistiblement sur leur projet d'association commerciale.

« Au vieux Talbot, ça lui a coûté un saladier pour s'installer, et maintenant il lui est presque impossible de payer les traites à moins de travailler à fond la caisse tous les jours que Dieu fait ! fit observer Thomas. Paraît qu'il faut voir ses factures d'antibiotiques pour le croire.

— Tandis que nous, on aurait que les dépenses d'investissement et encore ! lui objecta Thurkle. On pourrait nourrir les porcs de restes, en particulier si on se décide pour des Tamworth ou des Gloucester Old Spots. Et ça ferait de l'engrais gratuit pour les deux champs de derrière. Je pourrais même développer le commerce des jambons crus. »

Maintenant que Delphine avait finalement débarrassé le plancher, songeait-il *in petto*, il fallait reconsidérer l'idée des commandes par correspondance ; il était probable que Valérie Farewell se laisserait convaincre de se charger de la paperasse à ses moments perdus.

Thomas alla répondre au téléphone.

« Non, elle n'est pas ici. Tu sais bien qu'elle veut plus approcher de la boutique en ce moment. Tu as appelé les parents de Mélanie pour savoir quand elle est partie ? Y sont pas là ? Ah, peut-être qu'ils sont justement en train de la raccompagner. Pas encore de quoi s'inquiéter. Elle a dû oublier la randonnée des Pies-Grièches et elle est sortie avec Mélanie à la place, tu sais bien quelle cervelle d'oiseau elle a ! Mais rappelle-moi à deux heures, si elle n'est toujours pas rentrée. »

Quand Thurkle regagna ses fourneaux, il trouva Growcott qui l'attendait.

« Ils t'ont classé Restaurant de la Semaine, là-dedans ! » lui annonça ce dernier en brandissant un journal plié en quatre. Thurkle émit un grognement et tendit la main pour s'en saisir, mais Growcott grimpa d'un bond sur une chaise et se mit à déclamer.

« Le lièvre, ce noble rongeur, refuse d'être élevé en captivité. La myoglobine, stockant l'oxygène nécessaire à sa force musculaire, donne à sa chair un coloris si sombre et un fumet si âcre qu'elle réclame une sauce des plus robustes qui, telle l'agrodolce au chocolat amer, arrache le palais. Ou bien une préparation en civet avec une sauce pourpre au sang — mais la trouver exécutée parfaitement tient du miracle.

— Qu'est-ce qu'ils nous font là ? Un article sur un restaurant ou un cours magistral ?

— C'est le préambule, dit Growcott. Tais-toi et écoute : "Trop souvent, à l'heure actuelle, le sang réservé vendu avec le lièvre est en réalité du sang de porc. Si on ne le remue pas à un feu suffisamment doux, il fera des grumeaux puis se coagulera; et nombreux sont les maîtres queux, même ceux d'établissements réputés, qui lui substitueront du foie gras émincé finement. Par contre, le civet de lièvre sur lequel je suis tombé chez Thurkle, un restaurant qui devrait connaître un succès foudroyant au cœur de cette Angleterre rurale, décroche la timbale."

— Il a dû passer il y a une quinzaine, fit Thurkle. Je me demande s'il a goûté aux *crépinettes*.

— "Voici enfin une de ces entreprises familiales qui mettent l'accent sur l'authenticité, renonçant à une sophistication trompeuse, et où il est possible de jouer sérieusement de la fourchette et du couteau. La viande était sans exception de premier choix et trahissait un boucher tout à son affaire."

— Thomas Farewell ? dit Thurkle avec un reniflement de mépris. Il rigole ou quoi ? Il n'a dû prendre que du gibier. Et c'est moi qui le prépare.

— "Ce qu'il lui manque en finesse, Thurkle le compense

par l'absence de ces défauts culinaires typiquement insulaires : délicatesse superfétatoire et pruderie vicieusement dispendieuse. Sont portés sur son menu des testicules, un *fromage de tête* de première, le véritable *Philadelphia pepper pot* au rhum (bouillon de jarret de veau et de tripes très épicé de thym, de marjolaine, de laurier et de poivre) et des joues de morue, dessalées et effeuillées, d'une hallucinante fraîcheur, sautées au beurre et accompagnées de salicorne."

— Il dit autre chose sur le lièvre ? grommela Thurkle.

— Minute, j'y viens. Il mentionne d'abord le faisan ; il prétend que c'est un vrai rêve de coprophile dont même la sauce Cumberland, si brutale, n'arrive pas à avoir raison. Il n'a pas tort là, tu pousses un peu loin le bouchon question faisandage. Tu te souviens des asticots, l'an dernier ? Nous y voici : "sauce pourpre au sang, veloutée, d'une munificence royale... la bête aux semelles de vent n'a pas été massacrée en vain..." Oh, écoute-moi ça, c'est le tour de tes saucisses et de tes *crépinettes*.

— Quelles saucisses ? fit Thurkle.

— "A l'opposé de ces viscères qu'on a pour coutume de nous servir bourrés de mie de pain, ces saucisses anglaises accomplies mettent dans le mille. La chair en est finement hachée, sa saveur étrangement relevée et onctueuse cependant, même si le boyau reste assez épais. Mais couronnant le tout, on trouvera une version du hamburger à la grenouille..."

— A la grenouille ?

— A la française, tête de nœud... "j'ai cité une miraculeuse *crépinette*, divin petit balluchon d'émincés de truffe, mêlés à du porc en gelée découpé en dés, le tout drapé d'un châle de graisse dentelé". Il continue en disant qu'il a trouvé les desserts un brin décevants, qu'il vaut mieux tirer le rideau sur les îles flottantes, un peu douteuses, mais que par contre les fromages étaient du tonnerre. "J'ai quasiment dépassé la dose prescrite avec trois chèvres, un coulommiers et l'époisses de forme conique que l'on appelle en France le Suppositoire du Diable." Ah, j'ignorais ! Bel exemple pour ma collection.

— Il donne le montant de l'addition ? demanda Thurkle.

— Cent trois livres pour deux.

— Eh merde !

— Mais il précise vins et apéritifs compris.

— Tout de même !» s'écria Thurkle.

Quand Mélanie et ses parents rentrèrent chez eux, le soir de ce samedi, après avoir passé la journée au Safari Park de Boddington, ils trouvèrent un mot des Farewell sur le paillasson.

"Prière de nous rappeler à votre retour", lut à haute voix la mère de Mélanie. "Nous attendions Susan pour déjeuner mais nous supposons que vous avez dû l'emmener avec vous quelque part."

— Nom d'une pipe, lâcha le père de Mélanie.

— Redis-moi ce qui s'est passé hier après-midi, demanda sa mère à Mélanie.

— On a décidé que puisqu'on avait joué ensemble au déjeuner et à la récréation, ce serait vraiment barbant de recommencer le soir, dit Mélanie. Alors on s'est dit au revoir et elle est partie en courant.

— Où ça ?

— Je sais pas. Chez elle, j'pense. On était devant la grille de l'école.

— Peut-être qu'elle a fait une fugue, dit le père de Mélanie.

— Mon Dieu, j'espère qu'il lui est rien arrivé, dit la mère de Mélanie. Il faut que j'appelle Valérie. »

Après le coup de fil, Valérie eut un moment d'absence, comme si elle n'avait rien entendu. Son sang connut une poussée d'adrénaline et son cœur se mit à cogner, menant grand tapage.

« Qu'est-ce qui se passe ? demanda Thomas.

— Elle n'est pas restée chez eux, hier au soir, dit Valérie. Ils ont cru qu'elle était rentrée ici.

— Oh merde, s'écria Thomas. Oh merde !

— Ils m'ont dit qu'elle avait peut-être fait une fugue, continua Valérie d'un ton monocorde.

— Non, dit Thomas. Tu sais bien qu'elle n'aurait jamais fait une chose pareille. »

La constriction de ses vaisseaux sanguins l'avait rendu pâle comme un linge et il sentit ses entrailles devenir glacées.

Ils appelèrent les hôpitaux, puis la police.

« Reste près du téléphone, dit Thomas. Et toi, Judith, tu t'occupes de ta mère.

— Va voir dans le bois de Shorter, dit Valérie.

— Oui, fit-il, j'y vais. »

Il arpenta méthodiquement le sous-bois, armé d'un bâton et d'une torche électrique, tisonnant les feuilles détrempées et braquant le faisceau lumineux sur les troncs et les racines suintants d'humidité. Il pleuvait depuis des heures et une odeur douceâtre de décomposition régnait partout. Là-bas, du côté du village, il apercevait une ribambelle de lumières et songea aux dizaines de familles qu'il connaissait, affalées devant leur poste de télévision. On en parlerait au journal télévisé de dix heures demain soir, se dit-il. Probable qu'ils voudraient filmer Valérie lançant un appel aux ravisseurs. Elle ne pleurait jamais, mais pourrait-elle empêcher sa voix de trembler ?

« Susan ! cria-t-il. Susan ! »

Mais sa voix réduite à un chevrotement plaintif était sans portée. Alentour, la pluie soupirait doucement en imprégnant la terre tandis qu'il avançait d'un pas lourd dans l'humus pourrissant. Et les arbres murmuraient des sifflantes qui évoquaient le nom de sa fille.

Il rentra finalement à deux heures du matin passées. Il l'avait ratée d'un cheveu. On avait fait rouler ce qui restait d'elle dans un fossé à l'abandon, puis on l'avait recouverte d'un duvet de fortune, fait de brindilles, de branches tombées et de feuilles mêlées de terreau. Il avait sondé l'endroit avec méthode, mais la pointe de son bâton s'était insinuée sans difficulté entre les doigts écartés de Susan. L'appelant toujours d'une voix plaintive, il s'était éloigné, en agitant sa torche.

La seconde nuit s'écoula ; et cette nuit-là, du moins, elle était bel et bien morte. Elle n'avait pas complètement rendu l'âme jusqu'au petit matin du samedi. Comme elle s'était trouvée dans l'impossibilité de bouger, ne pouvant émettre que de très faibles bruits, elle avait continué à saigner doucement jusqu'à la perte de connaissance ; et malgré cela, son corps n'avait pas cessé de respirer, de palpiter et d'étancher ses blessures, quelque temps encore.

Après l'agression, son sang avait persisté dans ses échanges gazeux respiratoires et avait continué à véhiculer le glucose simple (provenant du chocolat qu'elle avait mangé cet après-midi-là, à l'abri de son pupitre, pendant le cours de géographie) tout en ralliant les lèvres de chaque plaie béante. Une multitude de plaquettes cytoplasmiques s'agglutinaient à sa chair déchirée, s'efforçant d'y obturer la moindre entaille. Le sang entama son travail de coagulation au cœur des blessures les plus profondes, tissant ses filaments de fibrine dans les estafilades et renfermant ainsi plaquettes et globules sanguins en caillots. La lutte était cependant inégale, et Susan finit par succomber.

Son cadavre provoqua un certain émoi dans l'univers des insectes. Les fourmis s'agitèrent en tous sens, passant en revue l'utilité potentielle de cette nouvelle présence. Les vers se frayèrent à l'aveuglette un chemin ondulant dans sa direction, au travers de la litière de feuilles. A cinquante centimètres à peine du fossé et livides comme des faire-part, avaient surgi une foule de champignons achromatiques.

Ce fut Cashelmara, le cocker de Mrs. Greenidge, qui finit par déterrer la dépouille de Susan, tôt le dimanche matin. Il renifla sa trace et se mit à gratter dans le fossé. Alors que Mrs. Greenidge, à bout de souffle, lui criait encore « Sale chien ! sale chien ! sors de là tout de suite ! », il s'était emparé de l'épaule de Susan et tirait dessus comme si sa vie en dépendait. Quand Mrs. Greenidge vit de quoi il retournait, elle s'écria « Oh mon Dieu oh mon Dieu oh mon Dieu ! » et, portant une main à son cou, elle recula de quelques pas, se prit le pied dans la racine d'un arbre et tomba lourdement sur son séant, se cassant la cheville. Elle dut retraverser le bois et remonter la grand-rue, vaille que vaille, en rampant ; elle mit un certain temps en raison de son excès de poids, de son état hystérique, et du fait qu'elle s'évanouit à deux reprises en chemin ; mais une fois arrivée, en une demi-heure, tout le village fut au courant.

« J'ai besoin d'une bonne tasse de café noir », dit Growcott, qui fit son apparition sur le seuil de la cuisine de Thurkle, sur le coup de cinq heures de l'après-midi, ce dimanche-là.

« Hou ! la la ! fit Thurkle, en le voyant boitiller, puis s'affaler devant la table. Tu reviens de guerre, ma parole. Bisbille d'amoureux, je parie ? »

L'œil gauche de Growcott s'ornait du magenta et de l'indigo d'un ciel d'orage, propre à un cocard naissant.

213

Le globe oculaire se treillissait d'un fil écarlate aussi ténu que les pattes d'un araignée rouge.

« Tu es au courant ? dit Growcott.

— Pour la fille des Farewell ? Oui. Alan n'a pas pu s'empêcher de venir me servir tous les détails bien saignants.

— On m'a appelé chez eux pour calmer Mrs. Farewell. Elle avait complètement perdu la tête, elle venait de briser les portes-fenêtres et poussait des cris à fendre l'âme. Je lui ai donné un calmant qui aurait assommé un cheval et j'ai pu lui poser des agrafes — elle s'était entaillé les mains avec les éclats de verre — mais au moment où je partais, cette garce de Judith s'est précipitée sur moi en m'envoyant un coup de poing en pleine figure, un coup de pied dans les couilles, se démenant comme une vraie furie, quoi ! En plus, elle n'a rien d'un poids plume actuellement.

— Manque de pot, fit Thurkle. Faut espérer qu'elle t'a rien esquinté pour de bon. Tiens, prends un coup de brandy pour te requinquer. Ses nerfs ont dû aussi la lâcher, je pense.

— Salope ! conne ! » tempêta Growcott.

Ils reprirent du café en discutant du meurtre et se demandant s'il aurait un retentissement sur le chiffre d'affaires de Thurkle. Quand Guy Springall surgit à la porte de service avec l'un de ses collègues en remorque, Thurkle et Growcott marquèrent une certaine surprise.

« Du café, monsieur l'Agent ? fit Thurkle.

— Non merci, monsieur, répondit Guy d'un ton guindé. Je suis venu vous prier de bien vouloir m'accompagner au poste. Nous aimerions vous poser certaines questions.

— A moi ? s'exclama Thurkle, d'une voix pâteuse, tandis que Growcott demeurait bouche bée.

— Vous commettez une grossière erreur, balbutia Thurkle. J'ai un alibi pour la soirée d'hier et aussi pour celle d'avant-hier.

— Très intéressant, monsieur. Mais ce n'est pas vraiment le problème qui nous occupe. Plus tard, ça pourra se révéler utile, bien sûr. Pour l'heure, nous aimerions que vous nous aidiez dans l'enquête que nous menons sur la disparition de Mrs. Delphine Thurkle. Votre femme. »

7

« Ça a toujours été un vicelard, déclara Alan, qui était devenu une sorte de célébrité au *Sanglier bleu*. C'est pas toujours facile de bosser pour un type dans son genre.

— Gaffe, y a pas encore de preuve contre lui, dit le vieux Talbot.

— J'en pense pas moins, fit Alan d'un air sombre.

— Je suis sûr qu'un jour ou l'autre on envisage tous d'assassiner notre femme, dit le vieux Talbot d'un ton judicieusement compréhensif. Mais à quatre-vingt-dix-neuf pour cent on s'arrange pour se retenir.

— Faut être juste, ajouta Peter Talbot, et sans vouloir dire du mal des morts, elle s'était laissé aller dans les grandes largeurs, pas vrai ?

— J'parie qu'il l'a donnée à bouffer à ses cochons, fit Roger Saddington, comme dans l'affaire de Mrs. McKay.

— Ce qui se passe dans cette arrière-cuisine, personne ne peut le dire, fit Alan, d'un ton chagrin. Il s'est débrouillé pour que les sous-chefs soient dans une autre pièce à se taper le sale boulot, la pluche, le hachage, et j'en passe. Et lui il se garde les bons côtés du bizness.

— Les cochons, ils bouffent n'importe quoi, continua Roger. Les os, ils les réduisent en poudre. Ils ont l'estomac d'une autruche. Même si on leur fend le bide et qu'on fait des tests, on peut pas prouver qu'ils ont bouffé de l'humain. Ils ont tout dissous dans l'acide gastrique.

— Delphine a disparu depuis le premier janvier, fit observer le vieux Talbot, et si je me trompe pas, c'est toi qui as abattu sa dernière truie en novembre.

— Si tu vas par là, fit Roger. En cherchant des poils sur les œufs, on peut aussi dire qu'un type comme lui, il aurait pas de mal à se dénicher des porcs.

— Il arrête pas de trancher des paquets de viande, de hacher, de découper , d'émincer et que sais-je encore, dit Alan. Il en fait trop, si vous voyez ce que je veux dire.

— On a pas beaucoup vu ce brave docteur ces derniers temps, fit remarquer le vieux Talbot. Il semble avoir disparu de la circulation.

— Il se fait oublier, dit Peter. Vous savez ce qu'on raconte sur lui et Mrs. Thurkle ; ça se peut qu'il n'y ait rien là-dessous mais...

— Y a jamais de fumée sans feu, lança Roger, avalant une lampée de sa pinte.

— Dis-moi qui tu hantes, commença le vieux Talbot.

— Je te dirai qui tu es, acheva Peter.

— Ouais, approuva son père. Ou ce serait pas plutôt, dis-moi ce que tu fais... ? » Il gloussa.

« C'est dans le besoin qu'on reconnaît ses amis, déclama Alan, en ouvrant un sachet de grattons de porc.

— 'erci, puisque c'est toi qui régales, fit Roger en tendant la main.

— Et pour vous, qu'est-ce que ce sera ? demanda Peter à Mr. Greenidge, qui les rejoignait au bar.

— Une Guiness, comme d'habitude, merci bien.

— Et comment va Mrs. Greenidge ? s'enquit le vieux Talbot. Sa cheville se remet, j'espère.

— Elle est encore toute retournée, répondit Mr. Greenidge. Mais c'est normal, cette histoire est tellement affreuse !

— Pauvre petite, reprit Alan. Qui a pu faire une chose pareille ? Dire qu'elle jouait dans l'équipe de balle au camp avec les deux miennes.

— S'il y a quelque chose qui me dérange dans le travail que je fais, c'est d'être obligé d'enterrer des gosses, avoua Mr. Greenidge. Un cercueil d'un mètre vingt, ça me rend complètement malade.

— Elle a eu un bel enterrement, en tout cas, fit Alan. J'avais jamais vu l'église aussi bourrée, et puis avec toutes ces caméras de télévision.

— J'ai déjà eu affaire à des suicidés, dit Mr. Greenidge, en sifflant sa pinte et en commandant une autre, mais j'avais encore jamais enterré un corps dans un état pareil.

— Elle était comment ? En un seul morceau ? » lança Roger, visqueux.

Mr. Greenidge lui jeta un regard noir.

« La pendaison est trop douce pour certains », s'écria-t-il.

Denise avait fini par persuader sa belle-mère de sortir pour se changer les idées. Elle s'arrêta en stationnement interdit devant *La Tasse à thé* et l'aida à gagner en boitillant sur ses béquilles une table près de la fenêtre.

A son retour, après avoir garé la voiture, elle trouva la vieille Mrs. Saddington, le menton pointé en avant, qui menait une fois de plus l'autopsie. Bah, songea Denise, y a pas de mal à ça. Elsie avait besoin, semblait-il, de ressasser la chose encore et encore.

« Ce qui me donne toujours des cauchemars, dit Mrs. Greenidge, c'est la couleur de sa peau. Blanchâtre, comme certains champignons. D'abord j'ai pensé que Cashelmara avait déterré un vieux bout de drap ; ça ressemblait à un paquet de linge sale, vous savez.

— Elle avait perdu son sang, approuva Mrs. Saddington.

— On l'attrapera, vous en faites pas », fit Denise, épongeant une goutte de crème sur la nappe avec sa serviette en papier. « Grâce aux empreintes génétiques, c'est le dernier truc à la mode.

— Me dites pas qu'on fait plus de tests de sperme, fit Mrs. Saddington de sa voix de traîneur de sabre.

— C'est une version plus poussée de ce genre de test, dit Denise froidement.

— Alors pourquoi mêler les empreintes à tout ça ? fit Mrs. Saddington. J'aime qu'on appelle un chat, un chat.

— Mais qui peut faire une chose pareille à une petite fille sans défense ? répéta Mrs. Greenidge, dont les yeux s'emplirent de larmes pour la septième fois de la journée.

— Des tables de ping-pong et de la moquette, qu'on leur donne aujourd'hui aux assassins, fit Mrs. Saddington d'un air féroce.

— Je suis toujours allée chercher mes deux petites à la sortie de l'école, dit Denise. Je les ai jamais laissé traîner toutes seules dans le village. J'espère seulement que Valérie ne se fait pas trop de reproches. Elle avait une mine épouvantable à l'enterrement.

— Son mari n'a pas très bonne mine non plus, observa Mrs. Saddington. Au moins, il est revenu à la boutique et il essaie de continuer à vivre.

— Oui, faut essayer de continuer à vivre, dit Mrs. Greenidge, en reniflant.

— La qualité de sa viande a baissé, même en si peu de temps, ajouta Mrs. Saddington. Il a plus le cœur à ça. Pas plus tard que mardi, il m'a vendu de la vraie semelle pour du steak. J'ai failli la lui rapporter.

— Pauvre Valérie, gémit Mrs. Greenidge, se remettant à pleurer. Mon mari est allé discuter de la facture avec Mr. Farewell et il m'a raconté qu'il l'a entendue hurler en haut, comme une bête !

— Ça peut pas durer comme ça, dit Mrs. Saddington d'un ton désapprobateur. Il faut que la vie continue.

— Oui, faut que la vie continue, renchérit Denise. Allons, maman, du cran ! Qu'est-ce que vous diriez d'une tranche de Forêt noire ?

— Vous savez qu'ils ont relâché George Thurkle ? dit Mrs. Saddington. Manque de preuves. » Elle prit un air pincé.

« Je comprends pas une chose pareille, fit Denise. C'est sûr qu'un homme qui a été capable de tuer sa femme, aurait pu assassiner une petite fille. Il peut pas y avoir deux meurtriers dans un endroit aussi petit que Barwell.

— C'est horrible quand on y pense, dit Mrs. Greenidge. Ça pourrait être n'importe qui.

— Hum, pas tout à fait n'importe qui, belle-maman, dit Denise. Un repas chez lui coûte les yeux de la tête, on peut pas s'en tirer à moins de cent livres pour deux, à ce qu'on m'a dit, et en plus c'est dégueulasse ce qu'on vous sert. Gail connaît un couple qui y a fêté ses noces d'argent et, vous le croirez jamais, il y avait de la soupe en entrée. De la soupe ! On s'attend à quelque chose qui sort de l'ordinaire pour ses noces d'argent, non ? Il y avait que le choix entre ça et du pâté trafiqué, apparemment.

— Et dire que c'était une petite si gaie », fit Mrs. Greenidge.

Félix Growcott avait adopté un profil bas. Dès qu'il mettait le nez dehors, il se heurtait à des visages de bois le fixant d'un air délibérément idiot, qui masquait mal la lueur vindicative des yeux. La « sorcière » du village avait dû ressentir la même chose autrefois avant qu'on l'accuse ouvertement d'être la compagne du Diable. Il évitait de fréquenter à présent la cuisine de Thurkle, constatant avec irritation qu'on le mettait dans le même sac. Cependant, ce vieux George avait du pain sur la planche depuis qu'on l'avait remis en liberté ; la moitié du comté se montrait soudain fort pressée de fréquenter son établissement. Le samedi, toutes les tables de chez Thurkle étaient retenues un mois à l'avance.

En outre, Félix avait dépassé de plusieurs semaines le dernier délai de remise de son manuscrit à son éditeur et craignait un peu, si la maison faisait faillite (ce qui paraissait fort probable), qu'on ne l'attaquât rapport à l'avance qu'il avait perçue et depuis longtemps convertie dans les quelques mètres de tôle de sa rutilante Jaguar au doux ronron.

Le dernier envoi de la London Library comportait une paire d'ouvrages aux révélations surprenantes concernant les cochons ; il venait d'en consulter l'index et reprit ses notes avec un soupir d'aise. En relisant le chapitre qu'il avait consacré au porc, il s'extasia comme d'habitude sur le mélange de raffinement, de savoir physiologique et d'érudition peu pesante qu'il offrait.

Arabella était, c'est certain, l'héroïne de Thomas Hardy qu'il préférait. Il aimait son sens pratique et sa façon de réprimander son chétif époux, lui recommandant de ne pas se hâter en saignant le cochon : « la chair doit être bien vidée de son sang, et pour cela il faut qu'il meure lentement... on me l'a appris au berceau. Un bon boucher il le laisse saigner longtemps. Faut bien au moins huit à dix minutes avant qu'il meure... » Bryony, toquée de verdure, n'avait fait qu'enfourcher le dernier dada à la mode. Il y a un siècle à peine, les abattoirs étaient des lieux avenants où il était tout naturel d'aller faire un brin de causette et se fortifier d'un verre de sang, prophylaxie de la tuberculose.

Cependant, le passage qui l'intéressait réellement était celui où le porc était présenté comme un homme à l'horizontale. L'agencement de ses organes internes correspondait à peu de chose près à celui de l'homme ; ses valves cardiaques pouvaient être transplantées sur un cœur humain ; sa peau aux follicules munis de poils était quasi identique à l'épiderme de l'homme, et de fait Félix l'avait vue utilisée avec succès comme greffe provisoire des grands brûlés. En outre, le porc procurait de l'insuline pour les diabétiques et la si utile héparine, championne des anti-coagulants. Tout cela lui remit en mémoire le dithyrambe déversé sur le civet de lièvre de Thurkle — et sa sauce veloutée — et provoqua l'irrigation de sa cavité buccale par la salive. Mais si une chose lui manquait, c'était bien leur séminaire culinaire bimensuel ; sans parler du petit plat de ci ou de ça qui lui était offert de coutume, quand il passait à l'improviste lui faire un brin de conversation.

Il lui semblait que ça faisait une éternité qu'il n'avait pas dégusté l'un des bons petits plats de George, et pourtant ça ne pouvait pas remonter à si loin. Peut-être y ferait-il un saut après tout. Les choses avaient eu le temps de se tasser. En fait, ça faisait un mois qu'il ne s'était plus attablé dans cette arrière-cuisine, c'était l'après-midi où George faisait des saucisses et où ils avaient mangé de cet excellent cassoulet, sa « suggestion du chef » ce soir-là. Puis Félix se remémora leur discussion du réveillon de Noël autour du cassoulet et des fesses de Voltaire, qui avait tant dégoûté ces dames. Une fois encore, il se demanda vaguement où Delphine avait bien pu filer. « Comme un pet sur une toile cirée », se dit-il à voix haute en ricanant.

Soudain, il fit un horrible rapprochement. Il se redressa comme un i sur sa chaise, les yeux exorbités. Il eut la chair de poule, son diaphragme se contracta et plongea dans sa cavité abdominale, exactement comme un ascenseur fou dévale dans sa cage. Au même instant, les muscles de la paroi de son abdomen se durcirent et le contenu de son estomac, un chyme aux couleurs de jambon fumé, petis pois et tomates à moitié digérés, remonta l'œsophage, lui jaillit par la bouche et les narines, et vint éclabousser ses notes. Ce processus se répéta un certain temps jusqu'à ce que, pour finir, ses haut-le-cœur ne produisent plus qu'un filet de bile vert-jaune ; mais à ce moment-là, il était à quatre pattes sous son bureau, à bout de forces.

Dès la première strophe, les fidèles s'efforçaient déjà de rattraper leur demi-mesure de retard sur l'organiste.

> *Jésus est ressuscité !*
> *Dorénavant, ô Mort,*
> *Tes affres ne peuvent plus*
> *Nous effrayer !*
> *Jésus est ressuscité !*
> *Dorénavant, ô Tombe,*
> *Nous savons que tu ne peux plus*
> *Nous garder !*
> *Alléluia !*

L'office du dimanche de Pâques venait de débuter à St. Lawrence. Tandis que leurs parents ahanaient derrière l'hymne, les enfants se tortillaient et se démanchaient le cou pour apercevoir les nuages d'aubépine à l'odeur musquée, mêlés de narcisses et d'arums capuchonnés, d'un blanc de lis teinté de vert, ou dévorer des yeux les démons grimaçants aux yeux d'insecte de la fresque du Jugement dernier.

Presque au fond de l'église, se tenaient les membres de la famille Farewell, les yeux baissés timidement sur leurs livres de cantiques, sauf William endormi contre l'épaule de Valérie. Cette dernière ne regardait plus personne en face. Elle ne supportait même pas le reflet de son visage dans un miroir à présent, car cette vision lui rappelait que les yeux n'étaient rien d'autre que des globes gélatineux.

Mrs. Saddington s'installa à son tour devant le lutrin, arrangea son chapeau de paille noire et commença à lire avec une voix aussi joyeuse, songea le pasteur, que celle d'un corbeau. «De mort, il n'y en aura plus; de pleurs,

227

de cris et de peine, il n'y en aura plus car l'ordre ancien s'en est allé. » Il songea que l'ordre présent aussi était passager et envisagea de glisser dans son sermon ce soupçon de phénoménalisme, puis y renonça. A sa grande irritation, il s'aperçut que Mrs. Saddington avait décidé de son propre chef de lire au-delà de sa marque ce pénultième chapitre de l'Apocalypse; et prenait même un malin plaisir à détailler maintenant tout ce fatras de noirceur et d'horreur, dont il avait personnellement essayé d'éviter l'écueil. « Mais les lâches, les renégats », lut-elle en se pourléchant quasiment les babines, « les dépravés, les assassins, les impurs, les sorciers, les idolâtres, bref tous les hommes de mensonge, leur lot se trouve dans l'étang brûlant de feu et de soufre : c'est la seconde mort. » Il était certain que l'assemblée paraissait moins léthargique, et les enfants plus intéressés, qu'auparavant. Sa brute de fils avait positivement un air de chien battu quand elle revint prendre place à ses côtés sur le banc du premier rang. Dieu merci, Denise Greenidge enchaîna avec le passage où l'ange du Seigneur déplace la pierre obstruant l'entrée du sépulcre de la même voix dont elle lisait à ses enfants *Charlie et la Chocolaterie*.

Il commença son sermon en exprimant le plaisir de voir son église si pleine en ce jour de Pâques, ajoutant qu'il serait encore plus plaisant de la voir avec une assistance à moitié aussi fournie, les autres dimanches de l'année. « Il est fort tentant de dire à Jésus : Non, très peu pour moi, merci, continua-t-il. — Eh bien, on a beau Lui dire non, c'est pourtant vers Lui qu'on se retourne quand on en a besoin, et comment. » A ses oreilles même, ces mots parurent geignards, aussi s'empressa-t-il d'en venir à la Résurrection, soulignant sa qualité de mystère et non de secret. Et s'étendit sur le sang de l'agneau pascal qui a enlevé les péchés du monde, parfaitement conscient que le penchant matérialiste de ses ouailles était tel que les trois quarts songeraient immédiatement au rôti du dimanche. « Et maintenant, les enfants, dit-il d'un air radieux, vous allez recevoir aujourd'hui des œufs de Pâques. Est-ce que l'un d'entre vous peut me dire de quoi l'œuf est le symbole ? » Matthew Greenidge hasarda la poule et Natasha Roberts, Jésus. « Voyons, voyons, dit-il sur un ton de gronderie, l'œuf est en réalité le symbole d'une vie nouvelle, non ? » Une lassitude l'envahit alors qu'il forçait l'allure pour atteindre l'apogée de son sermon.

« Il nous est très difficile de croire que nous nous relèverons au jour du Jugement dernier, ayant retrouvé notre être de chair, fit-il. Les lois physiques, biologiques, etc., nous disent que c'est impossible. Les savants nous apprennent que nous sommes composés de billions, de trillions d'atomes baladeurs et que ces atomes forment entre eux des figures, qu'on appelle des molécules, en se tenant par la main comme s'ils dansaient la capucine. Mais parfois la ronde tourne mal et ces figures se défont. Alors nous tombons malades. Eh bien, c'est assez difficile à croire tout ça, non ? A d'autres, vous avez envie de dire, et moi le premier. Alors pourquoi ne pas faire aussi le grand saut dans la foi chrétienne ? Nous ressusciterons, nous devons le croire, quand bien même c'est difficile, ou tout le reste n'a aucun sens. »

« Mais ça *n'a* aucun sens », songea Valérie, alors que William se mettait à hurler dans ses bras. Judith bâilla en se demandant pourquoi les curaillons trouvaient l'idée de la mort si détestable ; on n'existe pas avant la naissance et c'est pareil après la mort, ça s'arrête là. Mais c'était dur d'avaler l'idée que Susan avait disparu de la surface de la terre ou plutôt sous l'écorce terrestre; et d'un geste las elle sortit un paquet de Kleenex, sentant ses larmes commencer à couler.

Thomas n'avait pas vraiment écouté le sermon, cependant deux ou trois phrases avaient trouvé un écho dans le vide intérieur qu'il s'efforçait de maintenir. Il avait suspendu son souffle pendant le passage où l'on faisait rouler la pierre du sépulcre. Son chagrin pesait au cœur de sa cage thoracique comme un énorme rocher que rien ne pourrait déplacer.

8

On était à la mi-avril et le ciel, d'un bleu délavé, sentait la pluie. L'atmosphère était curieuse, mêlant vaguement de fraîches odeurs printanières au carillon des oiseaux et aux cris des enfants dans les arrière-cours. Dans les prairies aux alentours du village de Barwell, les agneaux se livraient à leurs voltiges aériennes, insoucieux d'être réduits un mois plus tard à l'état de côtelettes sous cellophane. La capacité d'envisager sa propre mort est, du moins nous plaisons-nous à l'imaginer, un avantage exclusivement humain.

Prostrée près de la tombe de sa sœur, Judith Farewell, ce samedi matin-là, mettait à profit cet avantage. La pierre tombale de marbre blanc étincelait sous le soleil, jouxtant avec une accablante désinvolture ses compagnes plus battues des intempéries. L'éclatante lumière blessait les yeux de Judith, affaiblis par les pleurs ; elle gagna l'ombre de l'if voisin et s'assit sur une tombe de dimension idoine, celle d'un adulte, et se mit à égratigner le lichen qui la tachetait de jade et de jaune d'œuf. Elle passait son bac biologie à six semaines de là, et se répéta à voix basse ce qu'elle savait de la symbiose, cette association mutuellement fructueuse d'un champignon et d'une algue verte formant le lichen : le champignon extrait les minéraux de la pierre et l'algue puise sa nourriture aux rayons du soleil.

« Si seulement j'avais pas été si méchante avec elle », fit-elle en reniflant.

Elle entendit venir quelqu'un et regarda avec animosité Bryony Growcott s'approcher de la tombe de Susan. Elle portait un bouquet de fleurs qu'elle avait cueillies dans le champ qui, à la belle saison, donnait de l'extension au terrain de jeux de l'école. Bryony avait piqué cette brassée de campanules et de muguet dans un pot de confitures rempli d'eau. En apercevant Judith, elle marqua un temps d'arrêt, puis la rejoignit à pas lents, traînant ses sandales dans l'herbe.

« Elles tiendront pas au soleil, elles vont mourir, dit Judith.

— Je sais, fit Bryony d'un ton humble.

— Qu'est-ce que tu viens faire ici ?

— Je suis désolée. Je pensais pas déranger. Oh, Judith, je n'ai pas été très gentille avec elle.

— Ouais, elle t'avait plutôt à la bonne, pourtant, non ? fit Judith d'un ton sarcastique. Bryony par-ci, Bryony par-là, entendre ton nom à tout bout de champ, ça nous portait vraiment sur les nerfs.

— Pardon.

— Ton ordure de père et toi !

— Mon père et moi, ça fait deux, s'écria Bryony, soudainement furieuse. Si ça ne tenait qu'à moi, je n'aurais plus de contact avec lui.

— Je le hais, ton père.

— Tu n'es pas la seule.

— Il est venu tout mielleux à la maison, le matin où on a trouvé Susan. C'était soi-disant pour aider man', comment il a osé?

— Qu'est-ce que tu veux dire? demanda Bryony, se laissant tomber près de Judith, dans l'ombre d'un vert presque noir.

— T'occupe», marmonna Judith.

Elles se turent un instant, puis Bryony reprit la parole. «Et comment elle va ta mère?

— Chez nous, c'est l'enfer, lâcha Judith avec précipitation. Le matin, je lui porte une tasse de thé et je la trouve toujours couchée, le visage inondé, à fixer le plafond. Quelquefois, elle me dit qu'elle rêve que tout ça n'est qu'un cauchemar, puis elle se réveille et elle redécouvre que c'est vrai. Pa' fait le même rêve. Moi aussi. Quelquefois, elle s'enferme dans sa chambre et elle crie. Je peux pas le supporter. Ça fait pleurer papa. Et elle veut pas le laisser entrer.

— Oh, Judith, fit Bryony.

— Elle veut plus lâcher William, continua Judith d'une voix atone. Elle le garde avec elle la nuit maintenant. Elle veut plus que je l'approche. Mais c'est mon bébé, tu sais. Et Susan, c'était sa Tatie.

— Pour Noël, Susan m'a donné un livre sur les plantes, dit Bryony. Tu peux l'avoir si tu veux. Tu es sa sœur après tout.

— C'est vrai? lui demanda Judith, surprise.

— Bien sûr. Tu n'as qu'à me suivre. T'inquiète pas, papa ne rentrera pas de la journée aujourd'hui. Il a emmené sa nouvelle petite amie à Londres.»

Elles se levèrent et se dirigèrent, côte à côte, vers la

tombe de Susan. Croassements rauques et battements d'ailes, une petite troupe de corneilles s'envola de l'if vers le bleu du ciel. Paddy le braconnier en abattit plusieurs, un peu plus tard le même jour, comme elles passaient au-dessus du bois de Shorter ; le lendemain matin, il vendit leurs dépouilles à George Thurkle qui, après leur avoir fendu en longueur le bréchet et les avoir à la fois dépiautées et plumées, fit cuire leurs blancs au four en une tourte au persil et aux champignons, qui devait apparaître le mardi suivant dans ses suggestions du chef.

En revenant vers la maison du docteur, Judith et Bryony commencèrent à se parler avec une familiarité qui les étonna toutes deux. Bryony confia qu'elle ne pouvait plus regarder quiconque à présent sans discerner la dentelle de ses os, comme aux rayons X. Judith lui rétorqua qu'elle comprenait ce qu'elle voulait dire et que, étudiant la biologie, pour elle c'était pire.

Une fois rentrées, Bryony leur prépara du café et, ouvrant le réfrigérateur pour y prendre du lait, elle remarqua une bouteille de Bollinger dans le bac à salade.

«Du champagne pour la petite amie, fit-elle avec aigreur. Il l'appelle sa petite Circé. Il les appelle toutes comme ça, il se crève même pas à varier son baratin.»

Elle prit alors la bouteille en regardant Judith.

«On va la boire toutes les deux», dit-elle en se mettant à déchirer le capuchon d'alu.

Judith ouvrit des yeux ronds.

«Mais c'est qu'onze heures du matin, fit-elle observer.

— Et alors?» dit Bryony.

Wouch! Le bouchon sauta dans une gerbe d'écume et alla briser l'une des vitres du dressoir de la cuisine.

Elles burent, parlèrent, feuilletèrent ensemble le livre de Susan sur les plantes. Le visage congestionné, elles riaient, elles pleuraient. Bryony s'affala sur le canapé, les pieds posés sur le chambranle de la cheminée. Judith déboutonna le haut de son chemisier et en éventa son énorme poitrine. Les joues en feu, elle regarda Bryony d'un air malicieux.

«Qui aurait cru qu'on s'entendrait si bien, moi qui suis comme qui dirait ta belle-mère», fit-elle.

Bryony la regarda avec effarement.

«Ma... quoi?

— T'as très bien entendu, fit Judith d'un air belliqueux. T'es la demi-sœur de mon petit William.»

Elle éclata de rire en voyant la tête de Bryony.

«Pourquoi tu l'as dit à personne? demanda Bryony au bout d'un moment.

— A cause de ton père, répondit Judith. Il m'a dit que si je racontais que c'était lui, il montrerait ça à tout le monde.

— Je me souviens de la nuit où tu as eu William, dit Bryony lentement. Il est arrivé en avance, hein, et si vite qu'on a pas eu le temps de t'emmener à l'hôpital de Stokeridge.

— Oui, fit Judith froidement. J'ai accouché dans mon lit avec la sage-femme d'un côté et ton cher père de l'autre. Il a dû prendre son pied, je parie, à mettre au monde son propre fils. Beurk. Il me donne envie de vomir.

— Qu'est-ce qu'il aurait montré à tout le monde? dit Bryony, revenant à ce qu'avait dit Judith auparavant.

— La première fois que j'ai promené William dans sa poussette, reprit Judith sans lui répondre, Mrs. Saddington l'a traité tout haut de petit bâtard, exprès pour que j'entende. Moi, ça m'a fait rire, car j'ai pensé tel père tel fils. Parce que si tu veux le savoir, eh bien, il m'a rendue un peu cinglée, je pense. Maintenant, j'ai du mal à l'accepter, mais j'ai cru qu'avec lui c'était vraiment ça; pour moi, c'était un dieu, intelligent et tout et tout. Alors bon, je l'ai laissé prendre des photos cochonnes de moi. Y a de quoi rire quand on me voit aujourd'hui! J'ai été idiote.

— Tu avais quinze ans, dit Bryony. Tu aurais pu lui faire avoir des tas d'ennuis.

— Bien sûr que j'y ai pensé, rétorqua vivement Judith. Mais j'ai pas pu supporter l'idée qu'il envoie ces photos à papa et maman, comme il avait promis de le faire, ni d'autres tirages à l'institutrice, sans parler des lettres stupides que je lui ai écrites. J'ai préféré avoir mon bébé. De toute façon, la loi n'est pas aussi simple que ça, non? Il s'en serait tiré d'une façon ou d'une autre. Alors j'ai décidé d'assumer et de la boucler. Et puis, tout ça me semble plus très important, aujourd'hui. »

Elle se mit à pleurer.

« Mais tu le répéteras pas, Bryony, hein? Jure-le-moi. »

Bryony réfléchissait.

« Je parie que c'est pour ça qu'on a un nouveau médecin à l'école, fit-elle. Je suis sûre qu'il y a eu des plaintes. Comme je parle à personne, je risque pas d'être au courant.

— C'est un vieux cochon, hurla Judith. Pardonne-moi, je sais que c'est ton père. N'empêche.

— J'imaginais pas que c'était à ce point-là, dit Bryony.

— Je commençais même à me dire qu'il avait Susan dans le collimateur, dit Judith. Il arrêtait pas de lui tourner autour quand elle a eu son intoxication alimentaire.

— Oh écoute, n'en rajoute plus pour le moment, fit Bryony. Je te rappelle que je tiens de lui à cinquante pour cent. Comment veux-tu que je supporte cette idée?

— Peut-être que ta mère avait un amant, dit Judith en manière de consolation. On ne sait jamais. Je veux dire, ça peut arriver, quand on se retrouve mariée à un type pareil.

— Non, fit Bryony. Tout le monde peut voir que je lui ressemble. J'ai ses dents affreuses, j'ai ses cheveux et les mêmes oreilles taillées en pointe que lui.

— Ouais, admit Judith. Bof, pas de quoi en faire un fromage. Tu lui ressembles, mais t'es pas forcée d'être comme lui.

— Ecoute, dit Bryony. J'ai une idée. Il est pas là de la journée. Allons voir si on trouve quelque chose dans son bureau. Il le ferme à clé mais je sais où il range son passe.

— Mes photos, mes lettres ! s'écria Judith.

— *Exactement** », dit Bryony.

Cet après-midi-là, les deux filles mirent sens dessus dessous le bureau de Félix Growcott. Judith mit la main assez vite sur ce qu'elle cherchait et en fit des pétales de papier, la bouche tordue par l'effort et la fureur.

« Je crois que tu serais capable de mettre un annuaire en charpie, dit Bryony, impressionnée, avisant le tas de confetti qui jonchait le sol aux pieds de Judith.

— Oui, j'ai de la force, fit Judith, l'air sinistre. Je suis peut-être idiote, mais je suis forte. »

Elles n'en restèrent pas là. C'était trop passionnant. Judith feuilleta le manuscrit dactylographié de l'*Histoire personnelle de la gourmandise* et découvrit dans les

* En français dans le texte.

marges de copieuses annotations de la main de Félix, qui détaillaient d'une manière vivante et bon enfant ses expériences de carnivore ; il y précisait entre autres la provenance des escalopes de paon, le trafic risqué d'importation de viande de zèbre — du cheval, tu parles ! — et la promesse d'un envoi clandestin de pattes d'ours du Szechwan.

« Ton père, il est prêt à manger n'importe quoi, gloussa Judith. Les gens, ils vont pas aimer quand ils sauront ce qu'il traficote. Ils vont plus lâcher des yeux leurs chères petites bêtes, ça m'étonnerait pas. »

Bryony déverrouilla le classeur et elle se mirent à compulser les dossiers. Judith extirpa une enveloppe de papier kraft d'une chemise portant la mention Assurance.

« Qu'est-ce que c'est que ça ? » fit-elle, tombant sur le catalogue donjuanesque des frasques de Félix. Elles se plongèrent dans sa lecture, choquées et fascinées.

« Marianne Lester, dit Bryony. Alors c'était vrai. Et Delphine ! J'en crois pas mes yeux ! Delphine ! »

Elles n'osaient plus se regarder.

« Sally Cheeseman ! dit Judith. Bon, elle a toujours été un peu comme ça. Mais Pauline Simmonds ! Qui l'aurait dit ! Je suis pas la seule idiote à m'être fait avoir, si je comprends bien.

— Susan aussi, dit Bryony avec tristesse. Tu avais raison.

— Mais il l'a jamais touchée, s'écria Judith, sautant les pages pour arriver aux dernières lignes.

— A moins que..., fit Bryony, d'un ton incertain.

— Non, dit Judith. Il ferait pas une chose pareille.

— Non. »

A nouveau, leurs regards s'évitèrent.

« On va se faire du café », dit Bryony.

En traversant l'entrée, elle remarqua une lettre posée sur le paillasson. Elle lui était adressée et portait un timbre hollandais. A l'intérieur, elle trouva une carte de vœux pour son dix-huitième anniversaire, qui était tombé la semaine précédente sans être fêté ; il y avait aussi une paire de sabots minuscules, avec des moulins peints sur le dessus, tenus par une chaînette d'argent, plus une lettre qu'elle déplia et qu'elles lurent, épaule contre épaule, pendant que l'eau chauffait dans la bouilloire. Il en ressortait que Delphine avait fait ses paquets après avoir découvert la queue touffue et bigarrée de Chouette au fond du tiroir où son mari rangeait ses chaussettes. Elle s'était sentie incapable de continuer à vivre avec le meurtrier de sa petite chérie, écrivait-elle ; elle savait qu'elle aurait dû le quitter depuis longtemps. Pour l'heure, elle avait trouvé une place dans une boulangerie de Delft et sa nouvelle vie lui plaisait. Quelqu'un lui avait dit qu'elle avait droit à une part des bénéfices du restaurant de Thurkle, pour avoir travaillé pour lui sans être payée des années durant. Et donc, elle avait engagé aussi une procédure de divorce sous le motif de cruauté mentale et s'imaginait, le temps venu, qu'elle pourrait s'acheter un joli petit appartement. Elle espérait que Bryony lui rendrait visite et concluait ainsi : « Laisse-moi te donner un conseil pour ton dix-huitième anniversaire, ma chère Bryony : ne tergiverse jamais ! Mais j'ai à peine besoin de te dire une chose pareille, toi qui as la bravoure d'une lionne. »

« Heu, fit Bryony. En attendant, j'ai la trouille.

— Sois pas bête, lui dit Judith. Tout s'éclaire.

— Quand même, fit Bryony. Je ne peux plus rester ici. »

Elles demeurèrent là, affalées sur la table de la cuisine, devant leur tasse de café, et tombèrent finalement d'accord sur la conduite à tenir. Elles commencèrent par recouvrir de Tipp-Ex le nom des conquêtes de Félix Growcott dans son journal. Puis elles l'emportèrent chez le marchand de journaux, avec certains passages clés de l'*Histoire personnelle de la gourmandise*, et s'activèrent une vingtaine de minutes autour de la photocopieuse. Ensuite, elles pénétrèrent dans le dispensaire du Dr Growcott et scotchèrent soigneusement les agrandissements des pages photocopiées sur la vitre, si bien que toute personne passant devant dans la grand-rue pouvait clairement les lire.

« Bien, fit Judith. Tirons-nous. »

Bryony était pliée en deux par une crise de fou rire, ses yeux ruisselants de larmes.

« C'est pas le moment de craquer, la morigéna Judith. Et rappelle-toi que si ce balourd de flic ne veut pas de toi, t'as qu'à venir habiter chez nous. Je te cacherai dans l'ancienne chambre de Susan. »

Mais quand Bryony expliqua la situation où elle se trouvait à Guy Springall, il fut plus que ravi de l'héberger. Son romantisme lui avait déjà valu des ennuis et finirait un jour par le faire exclure des forces de police; mais cet après-midi-là il tenait sa récompense. Il lui offrit son appartement, mais elle prit froidement la clé de l'une des cellules et s'y enferma. Elle avait quitté la maison de son père pour toujours, lui confia-t-elle. Elle avait trois cents livres sur compte livret de caisse d'épargne et devait maintenant tirer des plans pour l'avenir. Peut-être Delphine pourrait-elle l'accueillir un certain temps. Il fallait qu'elle réfléchisse à tout ça.

9

Le dimanche matin, à l'aube, Guy, qui n'avait pas beaucoup dormi, fit du café et des toasts qu'il apporta à Bryony dans sa cellule. Elle était réveillée ; assise sur la couchette, les yeux fermés, elle avait le visage tourné vers le carreau dépoli, inondé de soleil, qui, renforcé avec du grillage, garnissait la fenêtre à barreaux.

Guy, la veille au soir, lui avait donné les deux oreillers de son lit, son duvet, un sachet de ratatouille surgelée, son unique mouchoir propre et son réveil digital. Il avait passé en revue les livres de son étagère, désespérant d'y trouver celui qui collerait avec l'idée qu'il se faisait de l'humeur et de l'intellect de Bryony ; il avait fini par lui offrir son intégrale de Shakespeare (jamais ouverte, à l'état neuf). Au petit matin, Bryony était tombée sur les poèmes de jeunesse, qu'elle ne connaissait pas, et s'était absorbée dans l'érotisme subtil de *Vénus et Adonis*, s'enivrant de *fleurs fragiles* et de *fonds aux tendres* *herbages** jusqu'à ce qu'apaisée elle sentît ses yeux se fermer ; elle lut en diagonale les strophes qui l'émoustillaient jusqu'à la scène de chasse et la capitulation du héros, et s'endormit pour de bon, heureusement bien avant la boucherie finale.

> *Oui, oui, c'est bien ainsi qu'Adonis a péri :*
> *Sa lance aiguë au poing, il courait sur la bête*
> *Qui voulait, loin d'user de ses crocs contre lui,*
> *Le calmer d'un baiser ; or donc, nichant sa tête*
> *Contre son tendre flanc, cet amoureux verrat*
> *Dans l'aine par mégarde un boutoir lui planta**.

Bryony et Guy connurent tous deux cette nuit-là des rêves d'un érotisme lyrique, dans des lits bien distincts. Bryony, en particulier, fut surprise de se sentir si heureuse à son réveil. Elle ne se souvenait pas de s'être jamais éveillée jusque-là persuadée que tout était nouveau, différent et changé en mieux.

Pendant que chacun, à présent, sirotait son café de part et d'autre des barreaux de la cellule, Guy s'efforçait de ne pas éclater de fatuité alors que Bryony, avec une franchise inhabituelle et balbutiante, tentait de lui décrire son brusque affranchissement et les événements qui l'avaient provoqué.

Ils parlèrent des heures, oubliant le temps : de Growcott, luxurieux comme un bouc et vorace comme un loup, de la conviction de Bryony quant à la culpabilité éventuelle de son père, des longues marches de Guy dans les collines de son Derbyshire natal et de ses performances à la flûte, de l'envie de Bryony de visiter Lundy et

* Texte français de Jean Fuzier. Bibliothèque de la Pléiade.

242

Lindisfarne, de leur passé et de leur enfance respectifs, de la vie et de la mort, et de son désir à elle de rester derrière les barreaux jusqu'à ce qu'elle se soit faite à sa liberté nouvellement acquise et soit sûre d'être à l'abri des représailles de son père.

« C'est probablement mieux que j'ignore tout ce qui concerne la vitre du dispensaire et la mise à sac du bureau, dit Guy. Votre père serait déjà venu me voir s'il pensait qu'il s'agit d'un cambriolage. En attendant, il vaut mieux que je confie son journal, la lettre de Mrs. Thurkle, etc., aux autorités compétentes à Thackstead et que je les laisse décider de la marche à suivre. »

Il l'abandonna à regret pour s'exécuter. Elle souriait, faisant usage de muscles qu'elle n'utilisait jamais, et d'heure en heure ressemblait de plus en plus à une jeune fille de dix-huit ans et de moins en moins à un ange exterminateur.

Mrs. Saddington était d'une humeur massacrante après une matinée de grand nettoyage de printemps. Elle s'y était attelée avec colère et l'hypocrisie d'un pharisien. Tout était de la faute du soleil. Tout ce qui, encrassé, était passé inaperçu pendant l'hiver, exposait à présent éhontément ses chiures de mouche dans la lumière d'avril. Les pièces couleur sépia, dont les fenêtres étaient demeurées hermétiquement closes pour conserver la chaleur, lui étaient apparues dans toute leur infecte saleté.

La maison empestait maintenant la lavande synthétique et douceâtre du dépoussiérant et l'odeur pénétrante de la poudre à tapis. Elle avait astiqué haineusement le cuivre noirci des dix-huit chandeliers, qu'aucune bougie n'avait pénétrés depuis leur fabrication un siècle plus tôt. Elle avait arraché des fenêtres les rideaux de tulle et les avait lavés dans une eau qui avait pris, à leur contact, une teinte funèbre accusatrice. Et à présent qu'ils étaient épinglés dehors sur la corde à linge, elle attendait sur des charbons ardents le moment de les resuspendre, car ça l'épouvantait que la maison soit ainsi exposée dans sa nudité à toute la rue. Entre-temps, elle débarrassa d'un coup de chiffon les moulures de leur fourrure de poussière et s'attaqua aux carreaux avec du papier journal froissé.

Elle avait réservé la chambre de Roger pour l'assaut final de sa fureur ménagère. C'était le seul territoire où elle lui accordait quelque latitude et, par conséquent, c'était une vraie bauge. Selon leur accord, elle ne devait pas pénétrer dans son sanctuaire sans sa permission ; et il le gardait fermé à clé, bien qu'elle sût qu'il savait qu'elle possédait le double de la clé. Consciente pour l'heure dans un recoin de son mental qu'elle n'avait pas changé les draps depuis bien avant Noël, elle s'arma de courage et y entra.

L'odeur était tout à fait extraordinaire. Bien sûr, les draps y étaient pour quelque chose, ainsi que les remugles de pantalons et de chaussettes sales. Qu'il ait cloué les fenêtres et gardé les vieux rideaux du black-out tirés jour et nuit avait sans nul doute créé des conditions favorables aux miasmes. Mais, cette fois-ci, on décelait un petit quelque chose de plus dans l'air torpide. Elle tourna le bouton électrique. Il avait une préférence pour une ampoule nue de quelques watts, dont la faible lueur allait s'écraser sur le pourpre des murs. Une brève inspection de son casier à livres lui apprit que le nombre d'ouvrages de référence sur la torture, les sciences occultes et l'haltérophilie avait pratiquement doublé. A première vue, rien sur les motos. Elle ne voulait pas transiger là-dessus.

Elle connaissait ses caches secrètes et alla rabattre un coin du tapis devant la commode. C'est là qu'elle trouva les trois derniers numéros de *Walhalla*, son mensuel de moto. Grinçant des dents, elle se mit à jurer enfin ; une espèce de sournois pleurnicheur, le portrait tout craché de son père. Elle se promit de lui faire une violente scène le soir même et, s'en délectant à l'avance en imagination, elle s'agenouilla pour examiner son autre planque : la boîte d'appâts qu'il rangeait sous son lit avec le reste de son attirail de pêche. Elle tendit la main avec précaution ; elle n'avait pas envie de se planter encore une fois un hameçon dans le gras du pouce. Ses doigts, en tâtonnant, se refermèrent sur une pelote grouillante d'asticots gluants.

Eructant une obscénité et faisant montre d'une vélocité presque incroyable pour une femme indolente de soixante et onze ans, elle bondit sur ses pieds et frotta sa main des deux côtés contre le duvet douteux jusqu'à ce qu'elle soit totalement débarrassée de cette répugnante viscosité. Il avait déjà fait ça, quand il avait treize ans, de stocker des asticots sous son lit puis de les oublier ; mais elle avait cru que cette fois-là, où elle l'avait laissé à moitié estropié, lui avait servi définitivement de leçon. Tout feu tout soufre, elle alla chercher des gants de caoutchouc, du désinfectant et un seau d'eau, puis revint dans la chambre. Elle repoussa le lit contre le mur et se servit de pages de *Walhalla* pour ramasser la galaxie de larves semi-phosphorescentes sur le tapis. Il n'avait pas pris la peine de fermer la boîte Tupperware et, bien sûr, ils s'étaient échappés. Il y avait aussi le vieux pot à tabac où il rangeait ses hameçons. Il devait probablement essayer de lui dissimuler des choses là-dedans. Sa fourberie était sans limites. Elle souleva le couvercle et jeta un œil à l'intérieur : une espèce de ver jaune s'y trouvait, une couette de cheveux maigrichonne qu'elle reconnut sur-le-champ.

Dix minutes plus tard, Mrs. Saddington était assise dans le salon des Farewell, attendant que Valérie descende. Elle n'avait pas eu besoin d'y réfléchir à deux fois. Après s'être lavé les mains, avoir enfilé son manteau d'été grisâtre et coiffé son chapeau, elle s'était rendue chez les Farewell, sous ce soleil atroce, avec dans sa poche la couette glissée dans une enveloppe.

Thomas avait ouvert la porte, mal rasé, semblant sens dessus dessous. L'intérieur n'était pas mieux loti. Les carreaux étaient sales et partout on voyait des vases remplis de fleurs mortes, vestiges de l'enterrement. Elle remarqua que la corbeille à papier débordait et que des jouets en plastique jonchaient le tapis, qu'on n'avait pas brossé. Judith était recroquevillée dans les profondeurs du plus grand fauteuil et émit à peine un grognement en guise de salut, avant de se replonger dans son torchon consacré au linge sale d'Hollywood, tout en mâchonnant sa barre de chocolat aux fruits et aux noisettes.

Valérie finit par descendre ; elle agrippait le bébé qui, tirant sur sa frange, lui en masquait le visage et se livrait au nouveau petit jeu de lui pincer les plis du cou de ses ongles non taillés. Même si on tenait compte de ce fait, elle offrait un spectacle révoltant. Le soleil, brillant dans la pièce, soulignait sa pâleur et sa couperose, ses yeux enflammés et l'affaissement de ses traits autour de la bouche.

Fort inhabituellement, Mrs. Saddington se sentit défaillir.

« Bonjour, petit bout d'homme », fit-elle, avec une douceur enrouée, comme Valérie déposait William sur le tapis. Il l'ignora et décampa à quatre pattes vers son Alpe de mère.

« Qu'est-ce que je peux faire pour vous, Mrs. Saddington ? » demanda Valérie.

Au tréfonds d'elle flottait une minuscule créature en forme d'hippocampe, de quatre centimètres de long, mais déjà dotée de narines, de lèvres, d'embryons de dents et des quatre ventricules du cœur ; elle avait été trop bouleversée jusque-là pour soupçonner son existence.

« Je sais qui c'est qu'a fait le coup », dit Mrs. Saddington, gênée par ces mots et consciente en les prononçant qu'ils étaient loin de la perfection grammaticale, mais découvrant qu'ils étaient sortis avec une force intrinsèque irrésistible.

Alors les trois Farewell la regardèrent. Le bébé se cogna la tête contre le pied d'une chaise et commença à hurler. Mais personne n'y prêta attention.

« J'ai trouvé ça sous son lit en nettoyant sa chambre », dit Mrs. Saddington. Elle sortit l'enveloppe et tint la couette entre le pouce et l'index. Elle luisit au soleil. Le silence régnait dans la pièce.

« Ma propre chair et mon propre sang, fit Mrs. Saddington d'une voix bourrue.

— Susan », dit Thomas, commençant à étouffer, comme un chat avec une boule de poils.

Valérie se jeta sur la couette et s'en empara, puis la tint serrée contre elle, comme prise de crampes d'estomac.

« C'est une chose terrible pour une mère, dit Mrs. Saddington, comme pour meubler la conversation.

— Où il est ? » dit Judith. Enorme masse sombre, elle

se dressa du fauteuil, mais si pleine d'énergie soudain que Mrs. Saddington ressentit un léger émoi.

« A l'abattoir.

— Allons-y », fit Judith.

Elles laissèrent Thomas avec le bébé sur les bras et balbutiant après la police. En chemin, Mrs. Greenidge les héla depuis son jardin et elles s'arrêtèrent pour la mettre au courant. Elle insista pour se joindre à elles et les fit monter dans sa voiture, car elle ne pouvait toujours pas marcher très loin. Thomas, pendant ce temps, n'ayant pas réussi à contacter Guy Springall et incapable de mettre la main sur l'annuaire ou d'obtenir l'opératrice, avait attaché William dans sa poussette et remontait au pas de charge la grand-rue, avec devant lui le bébé qui criait de plaisir. Il arriva au poste de police pour découvrir qu'il était fermé pour la journée.

A l'université, Guy avait partagé un appartement pendant un an avec un adepte de la pensée positive, qui avait punaisé au-dessus de la cheminée un poster proclamant : « Aujourd'hui est le premier jour du reste de ta vie. » A son réveil, ce lundi-là, Guy se remémora tout en un éclair avec une joie sans mélange, qu'il n'avait plus ressentie depuis sa petite enfance, et s'exclama à haute voix : « Aujourd'hui est le second jour du reste de ma vie. »

Une fois encore, il était tôt, six heures et demie environ. Il ouvrit la fenêtre de sa chambre et resta debout, frissonnant de plaisir, tandis que le soleil embrumé montait dans le ciel. Tout n'était que fraîcheur et humidité. Il voyait une succession d'arrière-jardins, de pelouses lamées d'argent, de haies de buis et de cèdres. Tout près, un chat tigré dansait comme un fou, à la poursuite d'une mouche, dans un flot de lumière. Guy déchiffra même son bonheur sur le mur qui jouxtait l'Épicerie Spar voisine, admirant comment le soleil avait métamorphosé la brique brute de tous les jours en prismes oblongs, roux, anthracite et ocre-rouge.

Il resta en faction au bureau pendant toute cette longue matinée dépourvue d'incidents et rendit une ou deux fois visite à Bryony dans sa cellule avec une tasse de café. Elle avait accepté de sortir avec lui pendant son après-midi de repos. A une heure précise, il verrouilla les portes du petit poste de police, grimpa comme une flèche dans sa chambre, sauta hors de son uniforme et dans son jean. A une heure cinq, tout sourire, Bryony ouvrit la porte de sa cellule et se trouva nez à nez avec la Coccinelle de Guy, vieille d'une dizaine d'années, aux garde-boue mangés de rouille.

«Elle est très fiable», dit-il en tirant de toutes ses forces sur la portière côté passager pour l'ouvrir, ce qui fit quasiment hurler les gonds bloqués. «Mais pas très classe, j'en ai peur.

— Vous ne devriez pas vous rabaisser comme ça», dit-elle, étonnée de cette tentative sans précédent de flirt de sa part.

Il n'y avait pas beaucoup de circulation cet après-midi-là et Guy prit un itinéraire qui les mena à travers champs. Les haies d'aubépine, qui bordaient les petites routes le long desquelles ils roulaient, emplissaient l'habitacle de leur senteur fluviale. Bryony avait passé son coude à la portière et laissait ses cheveux lui fouetter le visage. Elle ferma les yeux et savoura cette sensation de liberté, espérant que Guy se tiendrait coi. Il continua à conduire en silence, observant dans le moindre détail tout ce qui lui tombait sous les yeux, avec la plus nouvelle et la plus agréable acuité.

Son pub préféré, *Le Soleil et la Baleine*, avait une salle latérale bien aérée où l'on servait à manger. Ils s'installèrent à une table près de la vaste cheminée et Guy commanda une bouteille de fleurie, parce que des six vins proposés sur la carte c'était le plus cher. La pierre du foyer était sculptée d'un cerf noirci par le feu, aux courbes estompées par une couche soyeuse de cendre de bois, vestige des mois d'hiver.

« A votre nouvelle vie », dit Guy.

Ils se sourirent tout en buvant chacun une gorgée de rouge.

A l'instant même où Guy portait un toast à Bryony, le camion transportant, comme chaque semaine, le contingent de porcs de la ferme Talbot franchit les portes de l'abattoir et alla se garer sur son aire habituelle de déchargement, talonné par la Hillman Imp de Mrs. Greenidge.

Le conducteur s'était servi de sa carte magnétique pour actionner le portail d'entrée. Il devait par la suite déclarer au tribunal qu'il n'avait pas trop prêté attention à la cargaison de femmes qui surchargeait la petite voiture, les prenant pour des ménagères en goguette. Deux employés de l'abattoir, Marlon Briggs et Roger Saddington, étaient venus l'aider au déchargement des cochons, comme d'habitude. C'était toujours un boulot un peu délicat, et davantage encore ce jour-là, car à cause de la

chaleur les porcs en surnombre étaient déchaînés. Se
bousculant, se mordant au hasard, ils se grimpaient les
uns sur les autres pour atteindre les ouvertures à claire-
voie, leur incapacité à suer provoquant une montée de
leur température. Quelques-uns avaient déjà suffoqué en
cours de route. Marlon et Roger l'avaient aidé à les faire
descendre de la bétaillère, en les aiguillonnant le long
du plan incliné, et à les faire entrer dans l'enclos. Mais
comme ils étaient plus nombreux que de coutume, ils
s'étaient retrouvés comprimés là aussi et se débattaient,
couinant et poussant des cris perçants, cherchaient l'air
et s'arrachaient réciproquement des lambeaux de chair.
Puis avaient surgi les femmes, une vieille, une grosse, une
qui semblait un peu dérangée et une avec des béquilles.
Elles avaient encerclé Roger, lui agitant quelque chose
sous le nez et hurlant après lui. Il avait d'abord éclaté
de rire, c'est ce qu'en avait déduit du moins le conducteur à l'expression de son visage, car il ne pouvait rien
entendre à cause du vacarme des porcs ; mais quand
Roger avait tenté de passer outre, la grosse l'avait
repoussé contre les barreaux. Il avait commencé à grimper à reculons, dans l'intention évidente de sauter pour
se débarrasser d'elles, et c'est alors que la vieille avait
brandi une béquille et s'en était servie pour lui donner
un coup dans la poitrine. Il avait perdu l'équilibre et,
avant qu'ils aient pu faire un geste, il s'était retrouvé au
milieu des cochons. C'en était fait de lui. Le temps de
se porter à son secours et de repousser les porcs, ils
l'avaient mis en pièces. Il était déjà mort à son arrivée
à l'hôpital de Stokeridge.

Au moment de la mort de Roger Saddington, Guy Springall versait la dernière goutte de vin dans le verre de Bryony.

«Alors dites-moi quelque chose en français», demanda-t-il. Elle venait de lui parler des épreuves du bac. Il ne lui avait pas encore appris qu'il parlait le français et l'allemand presque couramment, grâce à la carrière militaire de son père, ce qui lui avait valu de vivre à l'étranger avec sa famille jusqu'à l'âge de dix ans.

«*La plume de ma tante*, fit-elle d'un air condescendant. *Le canif de mon frère**.»

Il la regardait intensément.

«*Vos yeux sont bruns*, continua-t-elle, et *vous me regardez comme un homme qui ne veut jamais parler, dont la langue est silencieuse**.»

Il y eut un silence et ni l'un ni l'autre ne baissa les yeux

«*Pas du tout*, fit-il. *Mais s'il y a beaucoup d'art à parler, il n'y en a pas moins à se taire**.»

Surprise, elle partit d'un éclat de rire sonore.

La serveuse réapparut et leur demanda ce qu'ils désiraient sans dissimuler son impatience. Ils consultèrent le menu écrit au feutre.

«Une terrine de champignons, dit Bryony.

— Y en a plus, dit la serveuse, qui avait quinze ans et qui ignorait encore les règles de la servilité. Vous auriez dû commander d'abord. Comme ça, vous auriez pu bavarder en attendant.

— Que vous reste-t-il? demanda Guy.

— Tout est terminé sauf les côtelettes d'agneau printanière, lui répondit la serveuse.

* En français dans le texte.

252

— Très bien, dit Bryony. Va pour les côtelettes. » Elle sentit un haut-le-cœur lui soulever l'estomac.

« Elles arrivent », chantonna la serveuse, qui disparut d'un bond dans la cuisine. Elle était impatiente de descendre à la rivière et sautillait d'un pied sur l'autre autour de sa mère, qui préparait les deux assiettes.

« Vous êtes sûre ? dit Guy. Ne vous y croyez pas obligée à cause de moi. Ne transigez pas avec vos principes.

— Ne vous avisez pas de me parler de principes, à moi ! dit Bryony avec mauvaise humeur. Espèce de flic !

— Alors, pourquoi ? » demanda-t-il.

Elle ne lui répondit pas. Elle-même en ignorait la raison.

« Je devrais être malheureuse comme les pierres, dit-elle un moment plus tard. Mais non. Enfin, pas tout le temps.

— Ah bon », fit Guy interloqué.

La serveuse arriva et vida son plateau. Bryony et Guy regardèrent les belles côtelettes rosâtres, avec sur une assiette à part le mélange de carottes, pommes de terre nouvelles et petits pois.

« De la sauce à la menthe ? demanda la serveuse, petite cuiller en main.

— Non, merci », répondirent-ils à l'unisson.

La serveuse les abandonna à leur sort.

« Bof, dit sa mère avec résignation. Allez, va t'amuser ! »

« Je ne comprends toujours pas pourquoi, insista Guy.

— Ça me regarde, non ? » dit Bryony, prenant une profonde inspiration avant de saisir son couteau et sa fourchette.

Epilogue

L'ennui avec ce genre d'histoire, c'est qu'elle réclame à cor et à cri un bouc émissaire. Quelqu'un doit porter tout le blâme afin que les autres puissent être absous, même si le vrai méchant est, bien entendu, cette silhouette intemporelle qui, sa faux jetée sur l'épaule, se profile à l'horizon et tranche dans le vif. Il n'y pas grand-chose à dire en faveur de Roger Saddington, sauf qu'il a rempli parfaitement le rôle de la Camarde et qu'il l'a tenu avec plus de panache que n'en auraient déployé George Thurkle ou Félix Growcott. Tout ou presque devient plus aisé à accomplir avec de la pratique et on avait habitué Roger à toucher un salaire convenable chaque semaine pour perpétrer un massacre ; comme le dit le juge, il était évident qu'il ne savait plus faire la part des choses.

La vieille Mrs. Saddington fut reconnue coupable d'homicide involontaire et condamnée à cinq ans de prison. Elle put y vérifier *de visu* qu'on y trouvait des tables de ping-pong et, dans certains quartiers, même de la moquette. Elle maudit quotidiennement son fils et en est venue à se considérer comme l'instrument de la justice divine. Elle est loin d'avoir la cote avec ses codétenues.

George Thurkle continua à prospérer jusqu'au jour où l'histoire du chat vint au grand jour. A partir de là, il provoqua une horreur tellement universelle qu'il dut quitter le pays ; ce fut mille fois pire que lors de la disparition de Delphine. Il travaille à présent dans un café-brasserie d'un trou perdu du Languedoc où parfois, au dessert, il arrive encore à faire se tordre de rire ses voisins en leur racontant celle de la grosse dame et de la *terrine du petit chat**.

Frappé d'ostracisme à Barwell, rayé de l'Ordre, Félix Growcott retourna à Londres et y vécut un temps des royalties de son best-seller, *L'Histoire personnelle de la gourmandise*. Deux ans plus tard, il tomba malade, présentant tous les symptômes de sénilité précoce caractéristiques de la maladie d'Alzheimer ; une autopsie pratiquée par la suite révéla qu'il avait en fait souffert de celle de Creutzfeldt-Jakob. Il fut soigné par la dernière de ses Circés jusqu'à sa triste fin, et lui légua tout son avoir.

Valérie Farewell fit une fausse couche le jour de la mort de Roger Saddington. Peu après, Thomas et elle se séparèrent. Elle se raccrocha à William avec une telle violence que Judith le lui abandonna en haussant les épaules et partit poursuivre ses études de biologie à Bristol. La première année, elle y partagea une chambre avec Bryony Growcott, qui avait réussi à s'inscrire en français et en philosophie.

Valérie demeura à Barwell, vivant de plus en plus en

* En français dans le texte.

recluse. Elle est actuellement en bisbille avec la municipalité, car elle refuse obstinément de laisser le petit William, âgé de cinq ans, se rendre à l'école maternelle.

Cédant à l'insistance de Valérie, Thomas vendit la boucherie, quitta le domicile conjugal et alla s'installer au-dessus d'un marchand de chiche-kebab, de l'autre côté de Stokeridge. Il avait d'ailleurs perdu le goût de son métier. Depuis lors, il a vivoté sur l'argent que lui a rapporté la vente de sa boutique, auquel vient s'ajouter ce qu'il gagne en faisant de petits boulots occasionnels. Il boit trop et d'affreux cauchemars le harcèlent. Il y erre dans une forêt dont les arbres murmurent le nom de sa petite fille, son tendre agneau, tandis que leurs troncs suintent d'une moisissure écarlate.

61250 Lonrai

Reproduit et achevé d'imprimer en octobre 1998
N° d'édition 98146 / N° d'impression 982444
Dépôt légal novembre 1998
Imprimé en France

ISBN 2-73821-153-4
33-6153-2